GW00670486

LA FRANCE VA-T-ELLE DISPARAÎTRE ?

DU MÊME AUTEUR

Essais

Les bandes d'adolescents, Fayard, 1962 *(en collaboration avec Marc Oraison).*
Annonce de Jésus-Christ, Le Seuil, 1964 (Livre de vie, 1964).
Le Prêtre dans la mission, Le Seuil, 1965 *(en collaboration avec Dominique Barbé).*
La Foi d'un païen, Le Seuil, (Prix Noël, 1967; Livre de vie, 1968).
La Reconnaissance, Le Seuil, 1968.
Où est le mal?, Le Seuil, 1969.
Qui est Dieu?, Le Seuil, 1971.
Questions à mon Église, Stock, 1972.
La Prière et la Drogue, Stock, 1974.
Du bon usage de la Religion, Stock, 1976.
Pour une politique du livre, Dalloz, 1982 *(en collaboration avec Bernard Pingaud).*
Que vive la France, Albin Michel, 1985.
La Foi qui reste, Le Seuil, 1987.
Du Bon gouvernement, Odile Jacob, 1988.
De l'Islam et du monde moderne, Le Pré-aux-Clercs, 1991 (Prix Aujourd'hui, 1991).
De l'Immigration et de la Nation française, Le Pré-aux-Clercs, 1992.
Biographie de Jésus, Plon, 1993 (Pocket, 1994).
Quelle morale pour Aujourd'hui, Plon, 1994.
Les Vies d'un païen, Autobiographie, Plon, 1996.

Romans

Les mémoires de Jésus, Jean-Claude Lattès, 1978.
La Traversée de l'Islande, Stock, 1979 (Antenne 2, 1983, téléfilm).
Le Vent du désert, Belfond, 1981.
Les Innocents de Pigalle, Jean-Claude Lattès, 1982.
Oublier Jérusalem, Actes Sud, 1989 (J'ai Lu, 1991).

JEAN-CLAUDE BARREAU

LA FRANCE VA-T-ELLE DISPARAÎTRE ?

BERNARD GRASSET
PARIS

Tous droits de traduction, de reproduction et d'adaptation
réservés pour tous pays

© *Éditions Grasset & Fasquelle, 1997.*

Première partie

LA CITÉ, LA NATION, L'EMPIRE

CHAPITRE 1

La France n'est pas éternelle

Parler de la « France éternelle » ne saurait être qu'une figure de style. Comme toute organisation humaine, la France est mortelle. Elle peut durer longtemps car les nations sont millénaires. Mais elle peut aussi disparaître si les différents facteurs qui la firent naître la font mourir.

Elle a failli le faire déjà à plusieurs reprises au cours de sa longue histoire. En 1420, pendant la guerre de Cent Ans, quand Isabeau de Bavière avait décrété son dépècement, et que Charles VII n'était que le roitelet contesté de Bourges ; en 1940, quand les Panzers de Guderian et de Rommel fonçaient sur Bordeaux.

En cette fin de siècle, j'ai le sentiment que nous vivons l'un de ces moments de l'histoire de France où tout se joue pour des générations, où la vie et la mort de la nation sont en balance, d'où le titre provocateur de cet essai.

Mon livre n'est pas de gauche ou de droite. L'idée de

nation est dans son origine une idée de la Révolution française. Le « Vive la Nation » de Valmy est le cri fondateur de la République. Mais le sentiment national appartient à tous et remonte plus avant. Je ne dis pas que le clivage gauche-droite soit dépassé, je constate qu'il devient secondaire quand la nation est en cause. Aujourd'hui à propos du rôle et de l'avenir de la nation, les positions ne recouvrent pas les appartenances partisanes : Chevènement à gauche et Séguin à droite tiennent à la Nation, Bernard Kouchner à gauche et Patrick Devedjian à droite la jugent probablement dépassée.

Quand vint l'épreuve « celui qui croyait au ciel et celui qui n'y croyait pas », celui de gauche et celui de droite se retrouvèrent, comme le constate Aragon, dans la Résistance ; d'autres de gauche ou de droite, dans la Collaboration.

Ne voyez rien de morbide dans mon entreprise. Le thème de la « décadence » m'ennuie. Je n'aime pas le Thomas Mann de *La Mort à Venise.* Toute cette émotivité du crépuscule m'est étrangère. La France n'est pas en décadence. Elle est menacée par des dangers plus subtils que je vais essayer de dénoncer. La France peut prendre un nouveau départ. Cela dépend en particulier de ses citoyens et de leurs dirigeants. Des choix décisifs vont engager l'avenir de la nation. Ils ne sont pas inéluctables. Je ne crois pas à la fatalité en politique.

Mais je constate qu'à la suite de mauvais choix, il arrive que les nations meurent bel et bien.

Aucune cité dans le monde n'a les paroles de la Vie éternelle.

L'année 1970 sortit en France [1] le livre d'un « dissident » d'Union soviétique intitulé : *L'URSS survivra-t-elle en 1984?*

La question sembla absurde. A cette époque, l'empire soviétique paraissait installé pour des siècles. Sa puissance était un dogme. On lui connaissait des opposants, mais contraints à l'exil, à la clandestinité, au goulag. Tout le monde admirait sa force économique que nos manuels scolaires plaçaient en deuxième position derrière les Etats-Unis. On craignait aussi sa force militaire. Pourtant Amalrik ne s'est trompé que de cinq ans!

En 1989, le mur de Berlin s'écroula. En 1991, l'empire s'effondra. Et l'on put bientôt voir les soldats de l'invincible Armée rouge vendre leurs armes à l'encan et fuir devant les Tchétchènes. Qu'était-il donc arrivé?

Tout simplement les citoyens avaient cessé de consentir au régime. Car le secret caché du pouvoir, de tout pouvoir, peut s'énoncer ainsi : le gouvernement repose sur le consentement des dirigés.

Cette loi générale est illustrée par un exemple historique archicélèbre, cent fois raconté, mais mal « décrypté »; l'aller et retour de Napoléon Bonaparte à l'île d'Elbe.

Au printemps de 1814, à l'aller, c'est, pour le vaincu glorieux de la campagne de France, la marche à l'exil. Il chemine vers l'île d'Elbe dont les vainqueurs lui ont laissé la dérisoire souveraineté. Sur les routes de Provence, le peuple gronde contre « l'Ogre » déchu qui

1. Fayard.

voyage en petit appareil dans une berline escortée de quelques officiers étrangers. Un moment, des mégères se font menaçantes. Napoléon, que Hegel avait vu en Allemagne comme le génie de l'Histoire, « la toute-puissance concentrée en un lieu », est alors obligé de se déguiser en postillon pour ne pas être lynché.

Au printemps de 1815, c'est le retour. Ayant échappé à la surveillance anglaise, l'Empereur débarque en mars sur les côtes de Provence dans une France où la maladresse des revanchards royalistes a retourné l'opinion. Le peuple ayant changé d'avis, Bonaparte, seul ou presque, subjugue toutes les armées envoyées contre lui par le roi Louis XVIII.

Ainsi, le rôle déterminant du consentement populaire ne saurait être nié. Machiavel lui-même adjure « le Prince » de ne pas encourir la haine du peuple et ne reconnaît comme assurés que les gouvernements auxquels le peuple consent.

Ce consentement doit émaner de la majorité des citoyens. La répression est efficace seulement contre des minorités opposantes désavouées par la majorité du corps social. En URSS, la répression était sévère contre les dissidents précisément parce qu'ils n'étaient guère soutenus par la majorité de leurs concitoyens. Il faut se souvenir que Staline est mort divinisé, enseveli sous les fleurs et les larmes dans une immense et véritable tristesse populaire.

Quand on affirme que tout pouvoir a besoin de l'approbation, on affirme aussi que les dictatures qui ont duré furent soutenues par la majorité de leurs opinions. Hitler, s'il avait des opposants, a été élu au suffrage universel et fut suivi, jusqu'à l'apocalypse finale, par la plus grande partie du peuple allemand, avec un héroïsme digne d'une meilleure cause.

Cette règle du consentement majoritaire joue même à l'intérieur de structures hiérarchiques comme les armées qu'on ne saurait pousser au combat si les soldats s'y refusent. Le comportement des soldats russes en Tchétchénie le montre assez. Leurs grands-parents avaient arrêté les nazis à Stalingrad.

Franco est mort dans son lit. Il n'est pas facile à un démocrate de le reconnaître. Par contre, quand la majorité des gens bascule contre le régime, la répression n'est plus possible. La raison en est simple : les forces de répression elles-mêmes font partie du peuple. Quand leurs familles sont en danger, elles sont démoralisées. Lorsque l'opposition est unanime, soldats et policiers, eux aussi, sont aspirés par le tourbillon mental de la révolte. Que peut faire le plus terrible des dictateurs si sa secrétaire ne lui obéit plus ?

A cause de cette nécessité de l'adhésion [1], les démocraties sont en général, et malgré les apparences, plus solides que les dictatures, parce que le consentement, y étant plus libre, est mieux assuré ; les minorités elles-mêmes acceptent finalement la loi de la majorité.

Andrei Amalrik avait senti que les sentiments du peuple russe évoluaient. Une génération après la mort

1. La seule exception à cette loi est le cas d'occupation par une armée étrangère, précisément parce que les femmes et les enfants des militaires des troupes d'occupation sont hors d'atteinte, vivant dans un autre pays.

de Staline, la crise de confiance était déjà visible. Bientôt, fascinés par les images chatoyantes de l'Occident, les Russes en eurent assez du régime, qui dès lors s'écroula selon les prévisions d'Amalrik.

Cela pourrait-il advenir en France ? Depuis des siècles, et quelles que soient les divisions du pays, jamais l'existence de la nation n'a été contestée de l'intérieur. Depuis des siècles, les Français consentent à vivre ensemble. Ils consentent à la France. Cela durera-t-il toujours ?

Il n'est pas scandaleux de se poser à propos de la France la question que se posait Amalrik à propos de l'URSS – et dans un délai comparable. Le livre d'Andrei Amalrik est sorti en 1970 et le terme fixé par lui était « 1984 », par allusion au célèbre livre d'Orwell. Assez court pour concerner les lecteurs, assez éloigné pour être vraisemblable. Et il fut confirmé par les faits à cinq ou sept ans près.

CHAPITRE 2

Le lien social est aussi un lieu

Pour faire vivre les hommes ensemble, le lien du consentement est donc absolument nécessaire, et ce consentement n'est jamais définitif. Il peut être repris par la génération qui l'avait d'abord donné; cas plus fréquent, il peut ne pas se transmettre à la génération suivante. Et il entre une forte dose d'affectivité dans le consentement. Cette constatation d'évidence peut choquer les rationalistes bornés. Notons, à leur usage, que nous ne parlons pas ici des religions ou idéologies qui se situent sur un autre plan. Quand elles sont prosélytes elles refusent, à juste titre, de se limiter à des frontières. De toute façon, elles visent le sens ultime, mais échouent à organiser ce bas monde. Nous envisageons dans cet essai les organisations humaines politiques. Il est juste de passer l'affectivité au crible de la raison; l'exaltation des forces obscures de l'émotion est dangereuse; les régimes totalitaires nous l'ont rappelé. En même temps il faut reconnaître que si nos émotions doivent être raisonnables, rien ne fonctionne ici-bas sans affectivité. Ce n'est pas seulement leur côté rationnel qui cimente les organisations humaines. Pour vivre ensemble et parfois pour mourir – on ne vit vraiment à plein que ce pour quoi on est capable de donner sa vie – il faut du sentiment.

Le lien social ne saurait s'en passer.

Ce lien est aussi un lieu. Contrairement au sentiment religieux, l'affectivité civique réunit des gens qui vivent ensemble dans un certain espace. Voilà bien l'une des évidences les plus contestées du siècle ! Beaucoup vont répétant comme s'il s'agissait d'une vérité aveuglante : « Aujourd'hui, les frontières sont dépassées. » C'est un slogan absurde. Fernand Braudel nous a appris qu'un œil exercé distingue encore les frontières des milliers d'années après qu'on les a supprimées : « De très vieilles frontières subsistent qu'on croyait disparues [1]. » Braudel avait, par exemple, coutume d'expliquer que le franchissement du *limes* (la frontière fortifiée de l'empire romain) nous faisait, aujourd'hui encore, changer de monde et passer de l'Allemagne catholique rhénane ou danubienne (Cologne vient du mot latin *colonie*) à une Allemagne non romanisée, protestante, différente. Autre exemple : la séparation de l'empire romain en deux parties, l'occidentale et l'orientale, fut accomplie sous les empereurs Dioclétien et Constantin au début du IVe siècle de notre ère. La limite entre les empires d'Orient et d'Occident passait

1. *La Méditerranée au temps de Philippe II*, Armand Colin, 1949.

au milieu de la défunte Yougoslavie ; à l'ouest, Slovènes et Croates catholiques et latins ; à l'est, Serbes et Macédoniens, orthodoxes et byzantins.

Seize siècles plus tard, une plaie purulente s'est rouverte, exactement au même endroit. Ainsi les frontières subsistent, des siècles après qu'on les eut proclamées « dépassées », et se vengent quand on les oublie. Comme les portes des maisons, les frontières ne sont pas seulement des barrières ; ce sont des limites. Elles peuvent être ouvertes ou fermées. La fermeture des portes (des frontières) est une situation de crise, de danger (la nuit, la guerre) ; leur ouverture est plus habituelle et plus normale ; mais leur « passage » reste toujours un moment important. Le lieu social est donc un lieu limité, circonscrit de frontières, aussi ouvertes qu'on les veuille. Il est limité dans l'espace parce que précisément c'est l'endroit des liens politiques et que l'homme, comme les autres mammifères, reste un animal territorial.

Il faut avoir connu l'exil pour savoir à quel point nous sommes attachés à un espace défini par les multiples liens du cœur et du souvenir.

Il faut manquer d'un pays, comme en manquent les Palestiniens (comme en manquèrent avant eux les Sionistes), pour comprendre ce que ça peut représenter que d' « avoir un pays à soi ». Il suffit d'écouter, pour entendre ce refrain, toute la chanson québécoise de Gilles Vigneault à Félix Leclerc. Ce n'est pas sans raisons que les anciens Grecs faisaient de l' « ostracisme » (condamnation à l'exil) une espèce de peine capitale.

La planète est certes un espace de plus en plus commun et ressenti, écologiquement, comme tel. Mais la planète ne saurait être un lieu social et affectif (sauf, peut-être, pour les cosmonautes qui voient notre terre bleue depuis les profondeurs obscures du vide).

Je n'adhère pas du tout aux vœux utopiques d'Edgar Morin quand il intitule un de ses livres *Terre-Patrie* [1]. Le lieu civique restera nécessairement moins grand. C'est par l'appartenance à un pays concret qu'on accède à la conscience d'être un Terrien. Le lien affectif ne deviendra jamais planétaire, si ce n'est, comme nous le constatons chez beaucoup de beaux esprits, de manière vague et idéaliste.

1. Le Seuil, 1993.

CHAPITRE 3

L'État, le paradis et l'enfer

Depuis la fin de la Préhistoire, le lien social s'incarne dans des Etats. La tribu de la Préhistoire exerçait, en modèle réduit, toutes les fonctions que le changement d'échelle territoriale, dû à la pratique de l'agriculture, a transférées à l'Etat. Nous n'en parlerons pas pour ne pas surcharger le débat. Pourquoi l'Etat est-il nécessaire au lien social ? Je l'ai dit à propos du « territoire », nous sommes des mammifères. Les rites sociaux des chevaux dans un pré, leur comportement hiérarchique, évoquent irrésistiblement le comportement social des êtres humains au bureau, à l'atelier, aux champs. L'affectivité des mammifères est très proche de la nôtre, y compris dans sa relation avec le terrain.

Mais il y a une différence essentielle. Comme le constatait Vercors dans un livre célèbre, les hommes sont des « animaux dénaturés ». Chez les mammifères, le code génétique empêche la violence de dégénérer. A l'intérieur du groupe le meurtre est inconnu et les combats de mâles n'aboutissent à la mort que par accident.

Les êtres humains, au contraire, ne sont plus contenus dans les sages limites de leur héritage héréditaire (« sages » parce qu'élaborés avec patience par la sélection naturelle). L'homme échappe à son code génétique en s'humanisant; d'où le caractère explosif et destructeur que la violence prend chez lui. Elle ne connaît plus de limites.

Nous touchons ici la part de vérité de la doctrine catholique du « péché originel » ou biblique du « mythe de Caïn » : le sentiment confus qu'à l'origine de l'homme il y a le meurtre. René Girard a rappelé cette évidence cachée [1].

Ainsi, pour ne pas s'entre-tuer sans trêve, comme nous le donnent à voir chaque jour les journaux télévisés, les hommes sont-ils contraints de se construire une organisation artificielle dans le but de canaliser la violence des instincts. C'est cela qu'on appelle l'Etat. Les animaux n'en ont pas besoin, les hommes, si!

Sans Etat, les êtres humains se massacrent de village à village, de rue à rue. On peut le constater au Ruanda.

Contrairement aux religions, les Etats ne sont pas en charge du paradis. Ils doivent seulement éviter l'enfer à leurs assujettis. Evidemment, comme toute réalité humaine, ils sont capables du meilleur comme du pire. On en a vu, tel le gouvernement nazi, qui aggravaient encore la violence. Mais en général, les Etats constitués

---

1. *Des choses cachées depuis la fondation du monde*, Grasset, 1978.

ont réussi à créer des espaces de paix. Ils ont enlevé la violence aux individus pour se l'approprier et la réduire au minimum. Ils n'ont pas fait disparaître la violence, ils l'ont rejetée « à l'extérieur », ou canalisée. Ils s'en sont réservé l'usage. Quand un Etat renonce à la peine de mort, cela signifie simplement qu'il s'engage à ne pas tuer dans les circonstances normales – restent les extraordinaires.

Faut-il renoncer à résister par la force aux actions prédatrices ? C'est ce rapport à la violence, cette « possibilité réservée » de tuer qui distingue en fait l'Etat de toutes les autres organisations humaines, qui fonde sa « souveraineté ».

A cause de cela précisément, les humanistes angéliques sont d'instinct contre l'Etat. Mais ils méconnaissent le tragique de l'histoire humaine. La plupart du temps d'ailleurs parce qu'ils vivent eux-mêmes dans des lieux paisibles où l'Etat assure la paix. A la moindre menace les concernant, on les voit crier : « Que fait la police ? »

Sans l'ordre public qu'assure l'Etat, pour l'être humain affranchi de barrières génétiques, le retour à la barbarie, à ses massacres, à l'horreur, est inéluctable.

Je veux dire cela quand j'écris que l'Etat a pour rôle d'éviter l'enfer. L'enfer menace sans cesse. On le vit bien en France tout au long de la sombre période des Mérovingiens, entre l'écroulement de l'empire romain et la renaissance carolingienne. De brigandages en massacres, la population régressa de vingt millions, aux temps gallo-romains, à quatre millions d'invididus. Les villes disparurent, les routes devinrent des coupe-gorge.

Pour que règne la paix intérieure, il faut derrière elle, sur un territoire donné, que s'exerce la force de l'Etat.

Il ne s'agit pas là d'une vision pessimiste de l'homme.

La civilisation est possible, la beauté, le bonheur, la paix et même la liberté. Cependant ces bienfaits sont toujours les signes d'un bon gouvernement comme nous l'illustre le célèbre tableau du Palais communal de Sienne où l'on voit d'un côté, celui du bon gouvernement, des citoyens paisibles et prospères et de l'autre, celui du mauvais gouvernement, meurtres, vols et viols, comme en Somalie.

Quand on doute de la politique et de l'humanité, il faut descendre le Grand Canal de Venise en *vaporetto*. Seul un Etat puissant a permis cette gloire en pleine lagune.

D'ailleurs l'Etat n'est pas seulement le monstre froid que décrivent les machiavéliens qui n'ont jamais lu Machiavel. Bien sûr la « raison d'Etat » se veut plus rationnelle, moins dictée par l'émotion, que celle des simples particuliers. Mais, nous l'avons constaté, pour fonctionner, l'Etat a besoin de l'adhésion des citoyens. Il marche aussi à l'affectivité, au dévouement. Il doit même exiger ces vertus chez ses dirigeants. Le pouvoir de l'Etat surplombe celui des dirigeants. Une classe dirigeante ne saurait être entièrement cynique sans se suicider. Les dirigeants ont besoin de penser sincèrement qu'ils servent un bien qui dépasse leur bien particulier ; et cela doit être vrai, s'ils veulent obtenir et conserver le consentement du peuple. Issu de la nécessité proprement humaine de canaliser la violence, l'Etat doit finir par être réellement au service du bien public, en latin *res publica.*

CHAPITRE 4

La cité, la nation et l'empire

Dans les débuts de l'Histoire, l'Etat a pris trois formes, la cité, la nation et l'empire. La cité et l'empire sont les modèles antiques de l'Etat ; la nation n'apparaît qu'aux temps modernes, vers le XIVe siècle de notre ère.

De fait, ces trois avatars se ramènent à deux seulement : l'empire, en effet, n'étant que la domination d'une cité sur d'autres cités, ou d'une nation sur d'autres nations. L'empire romain fut ainsi une confédération de cités sous la domination de *la* Ville (*Urbs* avec un *U* majuscule). Des siècles plus tard, l'empire des Habsbourg marqua la prépondérance de la nation autrichienne (allemande) sur les nations slaves ou hongroises. Ces dominations impériales sont rudes et militaires en leurs débuts (Simone Weil, l'écrivain pas le ministre, a pu, non sans excès, comparer la conquête romaine à la conquête nazie). Avec le temps, les empires deviennent paternels et débonnaires ; l'empire de Marc Aurèle au IIe siècle de notre ère ou celui de François-Joseph au XIXe.

Les dominations impériales cependant n'entraînent pas chez les cités ou chez les peuples assujettis une adhésion forte. A cause de cela les empires sont plus fragiles et moins durables que les cités ou les nations. Ils sont « séculaires » et non pas « millénaires ». Ils s'écroulent brutalement, le plus souvent de l'intérieur comme le Bas Empire romain ou l'empire soviétique.

Je parle d'adhésion « forte » ou « faible » au sens que ces adjectifs ont en physique nucléaire, quand on parle d'interactions fortes ou faibles, et non pas au sens moral. Les cités, au contraire, entraînent, elles, une adhésion civique très forte. Elles sont nées à l'origine de l'Histoire.

Dans le sein de la cité furent expérimentées toutes les formes possibles de gouvernement : de la tyrannie (Syracuse) à l'oligarchie (Venise), en passant par la royauté (Sparte) et la démocratie (Athènes). Le « civisme » et la « civilisation » doivent tout à la cité, ces deux mots latins étant d'ailleurs formés d'après le nom romain de la cité *(civis)*, son nom grec *(polis)* ayant donné « police » aussi bien que « politique ».

Les grandes nations ont surgi à l'aube des temps modernes (Angleterre, France), elles aussi entraînent une forte adhésion du peuple. Et pourtant elles dominent un territoire mille fois plus étendu que celui de la cité antique. Les grandes nations ont réussi un prodige historique, souligné par l'historien Chaunu : capter dans un espace multiplié par mille la ferveur que les citoyens de l'Antiquité grecque vouaient à une cité dont ils pouvaient encore apercevoir l'Acropole depuis leur jardin.

Peut-on aller plus loin ?

Peut-on transférer cette ferveur (j'ai déjà dit que la ferveur « planétaire » me semblait impossible, tout au moins comme sentiment réel), par exemple à l'Europe ?

Je ne le pense pas. Il y a une limite territoriale à l'affectivité. La nation moderne me semble au maximum de cette capacité territoriale. Les Etats-Unis ne constituent pas une exception, il s'agit d'une nation très uniforme dont le fédéralisme a pour seule fonction la domination d'un territoire trop grand, d'une nation de type XVIIIe siècle.

Au-delà de la nation, on trouve seulement l'empire, c'est-à-dire la domination de fait ou de droit d'une autre nation ; à défaut d'empire, au-delà de la nation, on ne trouve que le désordre et la violence.

Pourtant la mode intellectuelle exalte aujourd'hui l'immensité territoriale ; la nation étant proclamée trop petite.

Dans un livre significatif de ce point de vue [1], Guy Konopnicki, pour bien montrer que la France est devenue un pays de seconde zone, écrit avec mépris : « Ce pays, qui se croit grand et se traverse en douze heures de voiture, en respectant les limitations de vitesse. » La quantité d'espace comme critère de grandeur. A ce compte-là la *chora* d'Athènes se traversait plus vite. Je

---

1. *Chante, petit coq, chante,* Grasset, 1992.

crois me souvenir que le coureur de Marathon avait traversé le territoire athénien (quarante kilomètres) en quelques heures! Je signale à cet auteur que le Japon, seconde puissance économique du monde, est beaucoup plus petit que la France. Quant à l'empire soviétique on ne saurait affirmer que l'immense étendue de ses espaces ait été pour lui (sauf le cas d'invasion étrangère – Napoléon comme Hitler se sont perdus dans l'immensité russe) un facteur interne de force, plutôt de dispersion d'énergie et de faiblesse.

D'autres ne parlent pas pour rabaisser la France de sa quantité d'espace, mais de sa quantité d'hommes. On se souvient du président Giscard d'Estaing et de son condescendant : « A peine un pour cent de l'humanité! » En vérité, la nation est le bon espace pour que le gouvernement garde des contacts avec le peuple et que fonctionne réellement la démocratie. Elle élargit, au maximum à mon sens, l'espace affectif de la cité antique. Certes, elle est insuffisante. Il faut absolument regarder au-delà de ses frontières, construire des ensembles régionaux, se soucier des problèmes communs de la planète. Mais la nation reste un point de passage absolument nécessaire.

Cependant, chez les penseurs à la mode, la notion de patrie est une idée dépassée (comme celle de « frontière »), une idée archaïque et dangereuse. L'heure est au village planétaire, à la bénévolence tous azimuts.

La nation est le point aveugle des pensées socialistes et libérales. Pourtant, l'homme étant un mammifère territorial, le patriotisme est un instinct tout à fait indéracinable.

Prétendre supprimer le patriotisme procède de la même illusion castratrice que celle de nos grand-mères quand elles croyaient pouvoir faire l'impasse sur la sexualité. Freud nous a appris, depuis, que cette prétention-là aboutit simplement au « refoulement ».

Abroger le patriotisme en le proclamant dépassé, comme ont voulu le faire les internationalistes marxistes, a provoqué du refoulement puis, après la chute finale de l'Union soviétique, le « retour du refoulé » en fanatisme tribal. Prenons garde que l'internationalisme des marchés financiers n'aboutisse au même retour de bâton !

Le seul problème véritable est de transformer le patriotisme en un sentiment ouvert et non xénophobe. La xénophobie est en effet la tentation du patriotisme. Mais on peut lutter contre cette tentation-là, en ouvrant la nation à l'universel.

Il me semble que la République de mon grand-père, celle de Victor Hugo – grand-père Barreau assistait le jour de ses vingt ans à l'enterrement du poète – avait assez bien réussi cette transmutation.

C'était la République des dreyfusards. La leçon de l'affaire Dreyfus est claire : le patriotisme doit prendre en compte les exigences de la justice et de l'universel. Cependant les dreyfusards restaient des patriotes. Ils ne déchiraient pas en public leur carte d'identité nationale, comme on le vit faire à certains militants parisiens des droits de l'homme !

Vivre dans une vraie nation est donc un privilège trop méconnu. Cela vous donne un certain bonheur, un mode d'être, dont on ne saisit le prix que dans l'exil comme le fit Régis Debray. Cela ne coupe nullement du monde, bien au contraire comme l'écrit Debray : « Plus on est de quelque part plus on est universel. »

Seconde partie

L'EXCEPTION FRANÇAISE

CHAPITRE 5

Une nation non ethnique

La mode proclame la fin de l'exception française. La France, pays singulier à bien des égards, serait en train de rentrer sagement dans le rang des démocraties modernes (entendez « anglo-saxonnes »). Avant de juger si cela est positif ou négatif, essayons de comprendre en quoi consistait l'exception.

La France est une nation non ethnique.

D'autres pays d'Europe sont des nations ethniques : l'Allemagne rassemble des ethnies germaniques (mais non point toutes). La Grande-Bretagne unit sous une même couronne des ethnies anglo-saxonnes et gaéliques, les nations anglaise, écossaise, galloise (avec les Irlandais ça n'a pas marché). Il existe des nations mono-ethniques comme les Pays-Bas ; ou bien pluri-ethniques, comme la Suisse (dans laquelle les ethnies romande, allemande, italienne vivent ensemble par choix) ou l'Espagne, ancien empire qui se transforme, sous la monarchie restaurée des Bourbons, en un Etat pluri-ethnique avec les nations castillane, basque, catalane, andalouse. La Pologne est une ethnie d'autant plus compacte que Staline et Hitler en ont chassé et massacré les non-Polonais. En dehors de l'Europe, les nations qui réussissent sont souvent des nations ethniques homogènes, le Japon, la Corée, etc.

La France, au contraire, n'a rien d'homogène. Il y a davantage de différences entre un Alsacien (d'ethnie germanique), un Breton (d'ethnie gaélique), un Dunkerquois (d'ethnie flamande) et un Marseillais (d'ethnie méditerranéenne métissée – Marseille est une sorte de Beyrouth paisible) qu'entre les Serbes et les Croates. Les Français ont cependant des liens très forts ensemble, une langue commune, une citoyenneté à la romaine, c'est-à-dire abstraite, civique, sans aucun rapport avec les races. Au temps de Rome, le rabbin juif saint Paul disait avec fierté : « Je suis citoyen romain. » Au temps de la Fronde, ce furent une Espagnole, Anne d'Autriche, et un Italien, Mazarin, qui défendirent les droits de la France.

La République depuis ses origines ne veut rien connaître des ethnies ou minorités. Elle ne connaît que des citoyens, selon les mots célèbres de l'abbé Grégoire à propos des Juifs : « Tout leur accorder comme individus, rien comme communauté. » Mais cette attitude de l'Etat est bien antérieure. Dès Philippe le Bel (1268-1314) et ses légistes imbus de droit romain, la citoyenneté en France est fondée sur la loi. Les Capétiens, les Bourbons, les Orléans, l'Empire, les Républiques ont obstinément continué la francisation, l'assimilation d'ethnies diverses à une commune citoyenneté. La Troisième République la généralisa encore plus par son école et ses instituteurs, « hussards noirs de la République ». « Assimilation », le mot a mauvaise presse et on lui préfère celui, édulcoré, d' « intégration », mais c'est bien de cela qu'il s'agissait. Transformer les petits Bretons, Alsaciens, Catalans, Savoyards en Français pur jus avec leurs ancêtres mythiques « gaulois ». Quand il n'y eut plus de réunion de province nouvelle, les dernières ayant été Nice et la Savoie en 1860, l'immigration remplaça l'annexion. Tous les vingt ans, la République francisa une « Savoie démographique » d'immigrés. Chaque pays assimile les nouveaux arrivants selon ses traditions propres. L'Amérique les « westernisa » par son mythe de la « frontière ». La France les romanisa avec sa citoyenneté individuelle et fit avec les petits Portugais ce qu'elle avait fait avec les petits Savoyards. Il n'était pas plus difficile de transformer Italiens, Espagnols, Juifs ashkénazes ou séfarades, Arméniens, et bientôt Maghrébins et Africains en descendants des « Gaulois » qu'auparavant des Basques, Bretons ou Alsaciens.

La France est aussi le seul Etat européen qui ait réussi à souder solidement ensemble la Méditerranée (Nîmes, Montpellier, Marseille) à la mer du Nord et à la Manche (Lille, Rouen) par-delà la frontière entre oc et oïl. La France est comme un résumé de l'Europe : autour d'un grand Bassin parisien qui va de la Somme à l'Auvergne et aux côtes de Bourgogne, elle unit dans la même nation un morceau d'Angleterre (la Normandie), un morceau d'Irlande (la Bretagne), un morceau des Pays-Bas (la Flandre), un morceau d'Espagne (le Languedoc), d'Italie (la Provence), d'Europe de l'Est (Lorraine, Franche-Comté), d'Allemagne (l'Alsace), des pays alpins (Savoie, Dauphiné), de Catalogne (le Roussillon), etc. Ajoutons pour bien faire une île de la Méditerranée et un bout de Pays basque. La France, c'est l'Europe mais comme nation, pas comme organisation impotente à la manière du Saint-Empire germanique.

La « grande nation », comme on disait aux temps pas si lointains de la Révolution, est donc un Etat-nation. C'est-à-dire, non pas comme on le croit un Etat qui s'identifie avec une ethnie, mais un Etat qui les transcende toutes.

C'est une création artificielle mais cet artifice a réussi.

Comme l'œuvre romaine, c'est une œuvre toute politique, menée sur plus d'un millénaire.

Elle est née, légalement, au moment du partage de l'empire de Charlemagne à Verdun en 843, où fut ratifié le traité quasi notarial qui créa l'Etat et témoigna de sa langue (le traité est écrit en français et en allemand). Ce qui, en 1997, donne à notre pays l'âge exact de mille cent cinquante-quatre ans. (L'Angleterre, la plus ancienne nation d'Europe après la nôtre, est née seulement en 1066 avec la conquête de Guillaume, Viking francisé.)

Depuis l'élection à la royauté de Hugues Capet en 987, Paris se trouve être la capitale du pays. Voilà donc plus de mille ans que, sans interruption, un pouvoir d'Etat siège légitimement dans le même lieu (Versailles n'ayant jamais été qu'une « résidence secondaire » ; et, avant elle, les châteaux de la Loire) ; continuité unique dans le monde.

Evidemment la force ne fut pas absente de la politique royale de rassemblement des terres ; le seul épisode vraiment sanglant, à vrai dire, ayant été, au XIIIe siècle, la conquête du Midi méditerranéen par les barons du Nord, dite « croisade des albigeois ».

Mais, très vite, le sentiment populaire ratifia l'œuvre politique. Au XVe siècle, l'artifice est devenu réalité.

Aux marches de Lorraine, presque en terre étrangère, une fille de paysans, émue par « la grande pitié du royaume de France », Jeanne d'Arc, va chevaucher vers les pays de Loire, soulever l'enthousiasme des gens du peuple, qui dès lors rendront la vie impossible aux occupants anglais (raison décisive de la défaite des rois de Londres) et, dans une procession triomphale, mener le dauphin indigène se faire sacrer à Reims. A ce moment-là et bien que les Anglais occupassent le pays jusqu'à la Loire, le Languedoc, jadis conquis par le fer et le feu, était tellement fidèle au « roi de Bourges » que le Parlement de Paris s'était replié à Toulouse : les albigeois étaient bien oubliés. La Révolution française a apporté quelque chose de plus à cette œuvre que la volonté millénaire d'un Etat central.

La fête de la Fédération du 14 juillet 1790 est le moment où les représentants de toutes les ethnies, rassemblées sur un même territoire par une séculaire politique, ont déclaré solennellement et symboliquement leur volonté d'être « français ». Cette fête de la Fédération ou plutôt son anniversaire est restée notre fête nationale (et non pas la prise de la Bastille comme on le croit souvent).

La France telle qu'elle s'est constituée n'est pas seulement un « héritage » ou un territoire, comme le pensait Maurras, c'est un « choix ». On la choisit : « Les provinces se sont reconnues et aimées », écrit Michelet dans son *Histoire de France.* Pour toute la tradition républicaine, dont Michelet reste le chantre, mais qui fut aussi célébrée par Gambetta, par le Péguy socialiste de *Notre jeunesse,* et par Jaurès, être français est un choix. Pour Michelet, la France incorpore, en sa nature, une volonté libre d'y adhérer. Sans cesser de demeurer un être terrestre, elle devient en quelque sorte un être spirituel, et cela d'autant plus qu'avec la *Déclaration des droits de l'homme,* l'idée France comporte désormais, dans sa singularité même, le concept d'universalité.

CHAPITRE 6

Une nation culturelle

Le sentiment d'appartenance en France est culturel. Etre français, c'est parler la langue et respecter les usages communs. C'était la même chose chez les Grecs et les Romains de l'Antiquité. Les « Barbares » étaient les gens qui ne parlaient ni grec, ni latin. La romanité était culturelle et non raciale. Il y eut d'ailleurs très vite des empereurs espagnols, syriens ou libyens (Trajan, Elagabal, Septime Sévère).

Plus qu'une nation, la France est une civilisation. Civilisation brillante marquée par d'incessantes découvertes architecturales : de l'art religieux roman au classique en passant par les cathédrales gothiques. (Il existe, dans un rayon de deux cents kilomètres autour de Notre-Dame de Paris, au XIIIe siècle de notre ère, un « miracle français » comparable en beauté au « miracle grec » du Ve siècle avant Jésus-Christ.)

Née dans les ténèbres de l'époque carolingienne, héritière de la romanité, forgée aux grands siècles médiévaux, cette civilisation s'épanouit à la Renaissance avec le bon abbé Rabelais et les châteaux de la Loire, pour triompher et s'universaliser aux grands siècles français, les XVIIe, XVIIIe et XIXe. En même temps qu'un riche paysage marqué par la prodigieuse diversité et la beauté des maisons paysannes, se construisent les places royales, Stanislas, à Nancy, Vendôme, des Vosges, Dauphine, de la Victoire, de la Concorde, à Paris. Les Invalides dont la splendeur fait oublier qu'il ne s'agissait que d'un hôpital. Versailles est imité dans toute l'Europe. Autour de Louis XIV gravitent Racine, Molière, La Fontaine, Lully, Le Nôtre, Mansart, Colbert, Vauban. Au siècle des Lumières la civilisation française devient une civilisation mondiale par la langue et le prestige. C'est l'*Encyclopédie* et Diderot.

Encore aujourd'hui, les gens de lettres gardent chez nous un prestige inégalé partout ailleurs, à tel point que les chefs de l'Etat, à Paris, ont tous des prétentions littéraires et des prétentions au mécénat comme Louis XIV. Il suffit d'évoquer les « Grands Travaux » de François Mitterrand.

Cette culture n'est pas désincarnée, elle exprime la force de l'Etat. Seuls les naïfs croient que la civilisation n'a aucun rapport avec la puissance politique. Nous avons parlé de Louis XIV mais la peinture et la musique vénitiennes n'eussent jamais existé sans la puissance de la Sérénissime (que l'on appelait aussi à juste titre « la dominante »). Il en est de même pour l'Espagne. C'est parce que le pouvoir espagnol s'y est fixé que le castillan, langue de la Castille, devint l'espagnol impérial. C'est l'édit de Villers-Cotterêts de 1539 qui imposa le français comme langue officielle (que la Troisième République fera plus tard apprendre à tous et dont Victor Hugo sera l'écrivain symbole).

Il est vrai que tous les Etats forts ne suscitent pas un grand art. Les patriciens vénitiens ont construit de la splendeur, les patriciens anglais en furent incapables (et pourtant l'empire britannique ressemble beaucoup au XIXe siècle à ce que fut la thalassocratie vénitienne au XVe). Ils n'ont laissé que les pastiches victoriens !

Les dominations nazie et soviétique n'ont, elles, laissé que de la laideur ! La beauté est peut-être le signe ultime de la réussite des Etats ! Mais si tous les Etats forts ne suscitent pas de beauté, il n'est pas de civilisation sans composantes économique et militaire.

Aujourd'hui le règne de l'anglo-américain ne fait que traduire la puissance impériale des Etats-Unis d'Amérique.

Cette relation obligée explique le malaise des intellectuels français, leur tendance à rabaisser la France dont ils savent qu'elle n'est plus la première puissance du monde, une révérence cachée devant la force américaine. Beaucoup d'intellectuels vénèrent la force sans oser se l'avouer.

Le masochisme des intellectuels français masque peut-être leur regret d'une puissance perdue : la puissance française n'est plus la première (elle reste considérable, nous le dirons). Le regret de l'époque où le français occupait la première place, regret inconscient chez la plupart de nos intellectuels, pousse ceux-ci vers le dénigrement de la France ou vers l'idéalisme, lequel nie toute relation entre l'art et la puissance. Et pourtant, si la France disparaissait comme Etat souverain, la civilisation française ne lui survivrait pas. Slimane Zeghidour a discerné dans cette attitude des intellectuels un grand obstacle à l'intégration des nouveaux arrivants [1] : « Comment le jeune Beur pourrait-il chérir un pays, dont le cinéma, le théâtre, la littérature, la presse et les controverses instruisent à longueur d'année le procès ? » Et Zeghidour d'interroger :

« Quand s'avisera-t-on d'apprendre à ces Beurs, à ces musulmans français, que ce pays a rarement commis d'excès sans susciter l'indignation de beaucoup de ses citoyens ; qu'il a également inventé la quinine et l'aspirine, découvert le microbe et le vaccin, fait décoller le premier avion, tiré la première photo, projeté le premier film, inventé la carte à puce, découvert le virus du sida ? »

Car la civilisation française fut aussi, depuis Descartes et Pascal, une très grande civilisation scientifique ; elle le reste encore.

1. *Le Voile et la Bannière,* Hachette, 1988.

CHAPITRE 7

Une nation laïque

Slimane Zeghidour [1] s'émerveille de voir que la République « reconnaît à ses citoyens israélites et mahométans tous les droits à parité absolue avec les autochtones, tandis que l'Etat juif et ses cousins islamiques ne sont pas près de supporter même l'idée d'un Premier ministre chrétien ».

C'est que la France est une nation laïque ; et pas seulement depuis 1905. Depuis 1598 et la promulgation de l'édit de Nantes par Henri IV, la citoyenneté n'est plus, en France, liée à l'appartenance religieuse. Il y eut, certes, des retours en arrière : la Révocation de l'édit par Louis XIV en 1685 est la seule véritable erreur de ce grand règne. Mais encore au temps de la monarchie, les protestants retrouvèrent leurs droits. De tout temps, les rois de France avaient revendiqué et obtenu l'autonomie de leur pouvoir politique et les

1. *Op. cit.*

« libertés de l'Eglise gallicane ». La Révolution puis l'Empire établirent définitivement les fondements de l'Etat (les excès antichrétiens de la Révolution une fois dépassés) en dehors de l'appartenance religieuse. La loi de Séparation de l'Eglise et de l'Etat, promulguée en 1905, établit jusqu'à nous les bases de la laïcité dont Slimane Zeghidour rappelle l'originalité.

Chez nous toutes les religions sont admises. Il leur est seulement demandé d'être *discrètes.* C'est-à-dire situées dans la sphère associative. Cela implique qu'elles renoncent à imposer leur loi à ceux qui ne partagent pas leur foi. Cela n'implique pas qu'on renonce à étudier les religions à l'école, comme certains ultras du laïcisme le pensent. A l'école, on doit les étudier comme objets d'histoire. Il n'est pas normal qu'un jeune Français ne soit plus capable de comprendre le sens du portail d'une cathédrale ou le contexte des plus grands tableaux de ses musées. Il n'est pas normal qu'il n'ait jamais lu des passages des Evangiles – du Coran ou de la Bhagavad-Gita. Mais cette étude historique nécessaire et respectueuse ne doit pas être confondue avec le catéchisme dont il faut laisser la responsabilité aux Eglises, en dehors de l'école. La laïcité n'implique pas non plus le négationnisme historique. De fait, l'histoire de l'Eglise catholique et l'histoire de la nation ont longtemps convergé, convergence soulignée par le sacre de Reims. Le nier serait stupide. Il y eut une liaison historique, aux origines, entre le catholicisme et la nation. C'est la part de vérité de Clovis. Aujourd'hui, il n'en est plus ainsi. D'ailleurs, par sa laïcité, la France est très en avance sur les autres nations. Même en Occident, des pays fort modernes n'en sont pas encore là. La Grande-Bretagne et la Suède sont certainement des pays démocratiques. Il n'empêche que la reine d'Angleterre et le roi de Suède restent officiellement les chefs de leurs Eglises nationales (anglicane et luthérienne). Ce qui pose des problèmes à ceux qui n'appartiennent pas à ces Eglises-là, comme les Irlandais catholiques d'Ulster. Sur le dollar américain, nous pouvons lire *In God we trust* (nous croyons en Dieu – ce que les mauvaises langues traduisent par « nous croyons en l'or » : *in gold*).

La laïcité de l'Etat n'existe pas en Israël, où l'on a vu des héros de l'armée ne pouvoir naturaliser des enfants conçus avec des *goïm.* Comme Slimane Zeghidour le souligne, elle n'existe plus en Egypte où un Premier ministre chrétien est impensable (dans un pays qui compte pourtant un quart de coptes).

En France, la religion n'est pas un obstacle dès qu'il y a acceptation de la laïcité, condition *sine qua non* de la citoyenneté historique nationale. C'est ce que firent les juifs et les musulmans des générations précédentes qui, comme les catholiques et les protestants, ont pu garder à titre privé et associatif leurs religions sans contrevenir aux lois de la cité. La France est en avance sur ce point car je pense que la discrétion devient nécessaire à toutes les religions qui acceptent le monde moderne. L'exercice de la *diaspora* prépare utilement les religions à cette discrétion. Vivre en diaspora, c'est vivre minoritaires, avec un profil bas.

La plupart des grandes religions, qui chez elles sont facilement dominatrices, ont connu des expériences de diaspora qui les préparent au monde moderne, un monde finalement dans lequel toutes les religions vivront en diaspora.

Les chrétiens catholiques, protestants, orthodoxes ont connu des diasporas. Les hindouistes, qui chez eux peuvent être fort intolérants et détruire la mosquée d'Ayodha, sont discrets dans leurs diasporas établies depuis des siècles (en particulier dans l'océan « Indien », mais aussi en France). Les religions du Sud-Est asiatique ont des diasporas millénaires. L'islam pose un problème spécifique parce qu'il ne connaissait pas de diaspora jusqu'à une date récente. L'émigration familiale musulmane n'a guère plus de vingt ans. Vingt ans ce n'est rien pour une religion ! L'islam fut conquérant, non diasporique. (Et les musulmans bosniaques ne font pas exception. Jusqu'en 1918, ils étaient les maîtres, d'où leur domination dans les villes, alors que les campagnes restaient orthodoxes ou catholiques.) Le musulman n'a pas l'habitude de prier là où il ne gouverne pas. Il faut qu'il l'apprenne, qu'il apprenne la discrétion minoritaire. D'une certaine manière, un islam contraint à une réinterprétation de la *charia* (la loi musulmane) par sa situation minoritaire pourrait, comme l'écrit Pierre-Patrice Kaltenbach, être une chance pour l'islam universel [1].

En France, aujourd'hui, toutes les religions sont, de fait, en diaspora, toutes sont minoritaires. L'islam qui

1. P.-P. Kaltenbach, *La France une chance pour l'islam*, Le Félin, 1992.

n'a pas appris encore la discrétion diasporique, qui reste volontiers « ostentatoire », et farouchement « endogame », a du mal à s'y faire. Il s'y ferait si la République était ferme. Par exemple, l'exogamie, ou mariage interethnique, ou interreligieux, est au fondement de la citoyenneté française, du contrat social national. Le Français peut tenir des propos racistes, mais quand il voit une belle fille, quelle que soit la couleur de sa peau, il n'hésite pas à la prendre pour compagne. C'est pour cela que le « foulard islamique » est insupportable à la laïcité française. Dans le langage symbolique musulman en effet, le *tchador* signifie très clairement : « Touchez pas à nos femmes. » Ce signal est intolérable pour le Français laïc et exogame. A l'inverse, il ne gêne en rien l'Anglo-Saxon plutôt endogame. Le Britannique, par exemple, n'est nullement mis en cause par le foulard de la Pakistanaise ; jamais en effet il ne songerait à se mettre en ménage avec une femme de couleur. Dans un livre récent [1], Emmanuel Todd a souligné ce point : une femme noire américaine sur cent a épousé un Blanc (l'interdit joue dans le sens femme dominée, mâle dominant). Vingt Beurettes sur cent ont déjà épousé un Gaulois (« Gaulois » signifie « Français d'origine » en argot). L'Anglo-Saxon se permet de donner des leçons de démocratie au Gaulois ; mais c'est la laïcité française qui est progressiste, et l'attitude anglo-saxonne rétrograde.

On voit que l'affaire du foulard est le point focal de la laïcité républicaine. En 1989, un directeur d'école à

1. *Le Destin des immigrés*, Seuil, 1994.

Creil, ayant refusé d'admettre dans son établissement deux filles revêtues du voile islamique, une controverse éclata entre partisans de la laïcité et défenseurs du foulard. L'on put voir la Ligue des droits de l'homme se ranger dans le camp du « Hidjab » aux côtés du grand rabbin, de l'archevêque et du recteur de la Mosquée de Paris.

Comment, disaient-ils, ces quelques jeunes filles en tchador pourraient-elles menacer la République?

Le ministre de l'Education d'alors, Lionel Jospin, n'eut pas le courage de faire respecter la tradition de l'école publique qui veut que l'on s'y découvre devant le maître (c'eût été poser aussi le problème de la kippa [1]). Il consulta pour avis le Conseil d'Etat. La haute assemblée administrative du Palais-Royal (conseil traditionnel du gouvernement depuis Bonaparte) rendit une réponse de Normand : « Peut-être bien que oui, peut-être bien que non. » C'était ignorer que le tchador est un symbole : il est la négation du contrat social français qui implique depuis des siècles la liberté au mariage pour les femmes. C'était déjà un thème central du théâtre de Molière (cf. *Tartuffe*).

Le tchador est aussi un signe d'infériorisation et de discrimination contre la femme. Tous les réformateurs musulmans (Kemal, Nasser, Bourguiba), conscients de ce fait, ont voulu l'interdire et il est piquant de voir la Ligue des droits de l'homme en prôner le port.

Le tchador est enfin et surtout, dans le contexte de la diaspora, donc en France, un signe de combat : les

1. Calotte que portent les garçons israélites pieux.

filles « enfoulardées » accusent, par leur seul habillement, les filles d'origine maghrébine ou turque qui ne le sont pas d'être de mauvaises musulmanes !

Le Conseil d'Etat, qui prétend défendre le voile au nom de la liberté individuelle, soutient en fait un instrument d'oppression et de pression. On ne saurait aller plus loin dans le contresens.

Il faut ici saluer le bel effort de la circulaire Bayrou de 1994 qui interdisait d'arborer des « signes ostentatoires » à l'école de la République. Mais, dès mars de la même année, un arrêt du Conseil d'Etat annula l'article du règlement intérieur du lycée Du Bellay d'Angers qui refusait l'entrée de l'établissement aux élèves ayant la « tête couverte ». Dans son arrêt, le Conseil a considéré que « le port du foulard n'est pas contraire au principe de la laïcité » [1]. On croit rêver : il serait utile d'enlever au Conseil ses beaux locaux du Palais-Royal, et de le faire siéger en permanence à Bobigny. Il prendrait enfin contact avec la réalité.

Pis : des tribunaux administratifs de province ont condamné l'Etat à des dommages-intérêts pour cause d'interdiction de foulard et obligé les malheureux chefs d'établissement respectueux de la circulaire Bayrou à reprendre les militantes renvoyées.

1. Il existe pourtant une « convention internationale des droits de la femme » qui interdit « toute forne de discrimination à l'égard des femmes », convention de l'ONU publiée au *J.O.* en mars 1984. D'ordinaire plus respectueux des traités internationaux le Conseil d'État n'en a cure.

CHAPITRE 8

Une nation politique

En France, contrairement à ce qu'il advint dans la plupart des nations du monde, l'Etat naît *avant* la nation, et non après un long processus historique d'unification comme en Allemagne ou en Italie.

Il y a antériorité et droit d'aînesse de l'Etat sur la nation. L'Etat a créé la nation. Il en est le père.

Cette position explique aussi le rôle déterminant joué depuis des siècles par l'Etat dans l'économie nationale. L'Etat était « colbertiste » bien avant Colbert, interventionniste dans l'économie depuis au moins Sully et Henri IV (lois sur les forêts, grandes manufactures, etc.).

La France n'a jamais été seulement une assemblée de marchands, comme le furent les Pays-Bas, ou de banquiers, comme la république de Gênes. De tout ce qui précède, on est amené à poser une question fondamentale : la nation française peut-elle survivre sans l'Etat ?

La Pologne, plusieurs fois partagée entre ses voisins, l'Allemagne tard réunifiée (et encore une fois divisée de 1945 à 1990) peuvent vivre sans Etat, justement parce que ce sont des nations « ethniques ». Mais pour la France, la réponse à la question posée est certainement négative. Sans l'Etat, les ethnies provinciales ou les communautarismes religieux ne tarderaient pas à faire éclater la nation et rallumer la guerre civile qui déchira si souvent le pays, au cours de sa longue histoire. Depuis la Révolution et la guerre de Vendée, la paix civile règne chez nous (à l'exception de l'épisode complexe de la Commune qui fut surtout le sursaut du patriotisme parisien blessé n'acceptant pas la défaite devant l'Allemagne). Mais ces siècles de paix intérieure (je ne dis pas de paix sociale) ne doivent pas nous faire croire que les luttes tribales ne pourraient pas se rallumer assez vite, si l'Etat fondateur venait à faillir. L'Histoire est coutumière de ces longues périodes de stabilité suivies de brusques effondrements.

Créateur de la nation, l'Etat ne saurait en France se résigner à être dépossédé de sa souveraineté. Ce sont la souveraineté et l'indépendance qui ont permis à l'Etat parisien de créer et de faire durer la nation. De fait son histoire est celle d'une lutte séculaire, à l'intérieur, contre les grandes féodalités, à l'extérieur, contre les empires.

(A l'exception de la parenthèse napoléonienne où la France voulut établir elle-même son empire en Europe, à contre-courant de son histoire. Tentative vouée à l'échec. Si Napoléon s'était contenté d'être un « Diderot casqué » et de gagner les guerres de la Révolution, il y aurait encore un napoléonide sur le trône, même constitutionnel, à Paris.)

Souveraineté et indépendance seules donnent chez nous sa légitimité supra-ethnique et non confessionnelle à l'Etat parisien.

La *souveraineté* est donc, chez nous, absolument nécessaire à l'Etat. Ce fut l'objet de la grande querelle entre Vichy et le gaullisme.

Méconnaissant l'histoire nationale, le maréchal Pétain et Vichy crurent pouvoir maintenir la France en en sacrifiant la souveraineté sous la domination nazie. Cela les conduisit de compromissions en lâchetés (par exemple il faut noter que Vichy n'a jamais fait la guerre contre les Allemands, les accueillant même à bras ouverts à Tunis, en 1942. En revanche, au prix de milliers de morts, elle s'acharna à faire la guerre aux Anglo-Américains à Casablanca, Dakar, etc., ce qui n'était vraiment pas le moment) jusqu'aux rafles du Vel d'Hiv et à la honte, sans éviter pour autant le dépècement du pays par les occupants (Alsace, Lorraine, Nord) et son exploitation éhontée. A l'opposé, comprenant d'emblée quel est l'esprit du contrat national français, de Gaulle et les gaullistes ont maintenu, fût-ce à Londres, « une certaine idée de la France ».

En politique, le cynisme n'est pas forcément réaliste.

Ainsi, en juin 1940, quand la victoire allemande semblait irrémédiable, quand seules la renonciation et la compromission avec l'envahisseur paraissaient possibles, l'appel du général de Gaulle fut un acte de foi en la France. Tous les faux sages penchèrent du côté du maréchal Pétain.

Pourtant de Gaulle fut plus intelligent qu'eux en soulignant que des forces énormes n'avaient pas encore donné et que la victoire allemande n'était pas inéluctable. Cependant, il prit alors une décision politique risquée car l'Allemagne aurait pu vaincre tout de même.

Il prit cette décision au nom de la souveraineté française, comprenant mieux que Pétain la nature de la légitimité de l'Etat dans notre pays. Renoncer à la souveraineté, c'est en France renoncer à la France ; car l'Etat ne saurait y être dominé et soumis à plus grand que lui.

Certains brûlent de voir disparaître la France comme puissance. Ils lui concèdent une histoire, un patrimoine, des richesses économiques et culturelles, des paysages ; mais ils lui dénient l'essentiel : l'indépendance. Je veux bien renoncer à la France. Elle n'est pas pour moi un absolu. Encore faudrait-il me démontrer qu'il existe une organisation politique qui lui soit supérieure.

Je veux bien renoncer à la France, mais pour quelque chose de plus grand (je ne parle pas de la taille, j'emploie le mot « grandeur » au sens gaulliste). Quelque chose de plus grand que la France existe-t-il ?

Troisième partie

LES FORCES DE DISLOCATION EXTERNES

CHAPITRE 9

L' « européisme » contre les nations

Le traité de Rome de 1957 avait pour but l'entraide et l'union douanière de grands Etats, protégés par une barrière extérieure commune. Depuis le traité de Maastricht du 7 février 1992, l'esprit européen est devenu l' « européisme », que je définirais comme une idéologie contre les nations.

Le drapeau européen (il est vrai plus ancien, mais annexé par l'européisme) qu'on inflige à nos monuments publics et, depuis Mitterrand, qu'on arbore, avec le drapeau français, derrière le président de la République quand il apparaît à la télévision en est le signe.

Avec son fond bleu, il fait songer à une bannière d' « enfant de Marie ». (On songe à l'Europe vaticane des pères fondateurs démocrates-chrétiens.) Des hommes de culture eussent plutôt, à cette occasion, relevé le gonfanon d'un glorieux Etat européen disparu, par exemple celui de Venise, dont l'usage ne pouvait choquer personne. Le Lion de Saint-Marc aurait eu davantage de « gueule » (terme approprié pour parler « héraldique »). Mais qui songe encore chez nos technocrates à la Sérénissime République? (M. Juppé a bien écrit *La Tentation de Venise*[1], mais à contresens; pour lui, il s'agit de la tentation de fuir sur les lagunes et de n'y rien faire. Alors que Venise, nous l'avons dit, est tout le contraire : une illustration de l'efficacité de la volonté en politique.)

Le drapeau européen illustre bien, en revanche, l'idéologie fédérale de l'européisme. Sur l'emblème bleu, les étoiles, comme celles du drapeau américain, évoquent chacune un Etat, signifiant clairement que, dans la tête des inventeurs de cette symbolique, la France et la Grande-Bretagne, vieilles et glorieuses nations sont équivalentes au Rhode Island et au Massachusetts. C'est absurde! Le modèle américain n'est pas transposable en Europe. Les Etats-Unis sont une nation d'immigrants, anglicisés par la culture dominante des *Wasp*[2], et très uniforme. Le fédéralisme américain ne répond nullement à des disparités régionales (sauf entre Nord et Sud, mais là il y eut tentative de sécession). Il répond à la nécessité de maîtriser un espace national immense.

L'Europe, au contraire, est faite de plusieurs grandes civilisations, chacune universelle.

L'allemande de Goethe et de Freud, l'italienne de Dante et de Malaparte, l'espagnole de Cervantes et de

1. Grasset, 1993.
2. *White Anglo-Saxon Protestant.*

Unamuno, l'anglaise de Shakespeare et de Graham Greene, la russe de Tolstoï et de Soljenitsyne, la française de Voltaire et de Malraux.

Toutes ces civilisations, certes, sont communicantes, ouvertes les unes sur les autres. Mais les univers mentaux sont bien différents entre l'Allemagne de Luther, l'Espagne de Thérèse d'Avila et la France de Victor Hugo. Ainsi, il n'y a pas *une* civilisation européenne, mais *des* civilisations en Europe. Dans le modèle américain, lequel obsédait Jean Monnet, le père spirituel de l'idéologie européiste, il s'agissait d'unir des individus immigrés dans le moule d'une forte tradition puritaine, avec une langue unique. Il s'agit en Europe de tout autre chose.

Il s'agit de faire vivre ensemble, sans les détruire, de puissantes civilisations originales, ayant toutes d'ailleurs débordé du continent, et ayant vocation à l'universel. « Sans les détruire » est l'expression essentielle. On m'objectera que les Etats-nations, donc surtout la France, se sont construits en détruisant des cultures locales. L'argument est fort en apparence. Rien ne se construit sans casse, sans choix et sans déperditions. Mais les différences sont grandes entre les deux situations, la construction de l'Europe et la construction de la France. Quand la France s'est constituée, entre l'an 1000 et l'an 1500, elle a subjugué des cultures régionales qui n'étaient pas encore de véritables civilisations, le Languedoc, la Bretagne. Provinces qui étaient déjà d'ailleurs sous la suzeraineté du roi de Paris, depuis 843 ; ce qui n'est pas rien en droit féodal. La France a tué pour naître, c'est vrai, mais elle a tué des cultures embryonnaires. Il aurait pu y avoir une Bretagne gaélique ; il aurait pu y avoir une Occitanie (et dans ce cas la fusion à haute température de la mer du Nord et de la Méditerranée, caractéristique la plus vitale de la France, ne se serait pas réalisée). Cela ne fut pas. Ces civilisations n'existaient pas encore comme grandes cultures universelles, quand, en 1213, à la bataille de Muret, en 1491, au moment du mariage d'Anne de Bretagne avec Charles VIII, ces provinces furent intégrées (je dirais « sur-intégrées », intégrées au deuxième degré, elles faisaient déjà partie du royaume) à la France.

Le rêve « européiste », au contraire, s'il se réalisait un jour, ne pourrait le faire qu'au terme d'un irréparable naufrage et sur les décombres des cultures historiques, universelles et constituées, allemande, italienne, espagnole, russe, etc. Avec pour seule langue commune l'anglais basique que l'on se hâte aujourd'hui de faire apprendre à nos marmots dès l'école primaire. Cette issue est certaine : j'ai déjà souligné que les civilisations ne peuvent subsister sans l'appui d'un Etat souverain. S'agirait-il d'un progrès?

Devons-nous renoncer à notre civilisation, à notre langue, à notre histoire? A l'origine du traité de Rome, il ne s'agissait nullement de cela. Des Etats souverains unissaient leurs forces pour mener des politiques communes. De Gaulle lui-même avait trouvé ceci judicieux.

En réalité, il est tout à fait nécessaire que les nations

européennes se réunissent pour faire *ensemble* ce que séparément elles ne peuvent plus faire : Ariane, Airbus en sont de brillants exemples (exemples de coopération bilatérale ou multilatérale d'ailleurs, et complètement étrangers au travail de la Commission de Bruxelles). La volonté de construire en commun une « Europe des nations », nous y reviendrons, n'a donc rien à voir avec l'idéologie européiste.

« La France est ma patrie, l'Europe est mon avenir », disait François Mitterrand. Ce slogan marque le véritable commencement du dérapage « européiste », puisqu'il signifie, en clair, que la France n'a plus d'avenir. Je suis certain que François Mitterrand aimait la France mais il ne croyait plus en ses chances. Il la voyait comme une vieille dame qu'il fallait entourer de prévenances, en lui parlant des fastes de sa grandeur passée, tout en la menant doucement vers une maison de retraite dorée. Pour le Président défunt, cette maison de retraite était évidemment l'Europe de Maastricht.

Dans un article du journal *Le Monde*, l'ancien directeur de la revue *Esprit*, Paul Thibaud, le notait avec force :

« La dynamique européenne devient perverse quand n'ayant pas trouvé les moyens d'unir les nations dans un système de délibération et d'action, on entreprend de les abaisser et même de les dissoudre. »

Dissoudre la nation pour construire l'Europe de Maastricht, voilà bien le rêve et le plan « européistes ».

Voyons maintenant ce que l'européisme met en cause.

1 – L'européisme met en cause la démocratie

Il est assez facile de démontrer que la souveraineté du peuple, mythe fondateur et sacré de la République, ne peut s'exercer que dans le cadre de la nation.

Les communes et les régions sont des lieux civiques trop petits, au niveau desquels il est impossible de nouer l'ensemble des complexités politiques. Importantes pour l'apprentissage et la proximité de la vie civique, communes et régions n'épuisent pas, tout le monde le sent, la complexité de la citoyenneté, qu'elles enferment au contraire, loin de l'universel, dans des « querelles de clocher ».

Pour les européistes, le véritable lieu civique n'est plus la nation, c'est l'Europe. Ils veulent en faire une supernation, n'accordant aux vieux Etats que les miettes du « principe de subsidiarité ».

Il est réjouissant d'entendre des anticléricaux européistes se gargariser de cette notion de théologie morale qu'on apprenait de mon temps dans les séminaires et que Jacques Delors, en bon militant d'Action catholique, n'a fait que transposer. Mais ce principe ici ne ment pas, il dit bien ce que pensent les européistes. A l'Etat national, ce qui est subsidiaire ; à la Commission de Bruxelles, ce qui est important !

Cependant les européistes sentent tout de même qu'il y a là quelque chose qui cloche. Ils sont obligés de constater que les institutions européennes sont technocratiques, en fait oligarchiques. Ils ne le regrettent pas en leur for intérieur. Ils se méfient des peuples. On en vit des preuves éclatantes lors de la campagne du référendum pour Maastricht en France. L'immense majorité des médiateurs, des autorités était alors engagée dans une campagne méprisante contre les rares anti-Maastricht rejetés à la poubelle de l'Histoire et jugés « indignes de la politique ». Malgré la quasi-unanimité réalisée chez les dirigeants, le vote pro-Maastricht dépassa de très peu la majorité. Et les classes populaires votèrent contre. Les européistes pensèrent alors comme Brecht qu'« il faudrait changer de peuple », mais ils n'osèrent l'avouer. Contraints de reconnaître le « déficit démocratique » de la construction européenne, ils imaginèrent une réforme du Parlement européen, des référendums européens, et même un Président européen.

Mais ils n'ont rien compris au rôle énorme de l'affectivité dans les relations civiques. Nous avons souligné que la nation semble bien être le plus haut niveau dans lequel il soit possible de faire coïncider l'affectivité et la citoyenneté. Le Parlement européen de Strasbourg a beau être élu au suffrage universel, tout le monde sait, à commencer par ses membres, qu'il ne représente rien, que c'est un parlement d'opérette (qui coûte cependant fort cher aux contribuables), une sinécure pour les battus du vrai suffrage universel, le national.

Ce Parlement fait d'ailleurs double emploi avec le Conseil de l'Europe créé en 1949 (qui siège lui aussi à Strasbourg), plus modeste et plus adapté.

Dans son face-à-face télévisé avec François Mitterrand, au cours de la campagne référendaire de Maastricht, Philippe Séguin fit justement remarquer à son illustre interlocuteur : « La démocratie suppose que la minorité sache s'incliner devant les décisions de la majorité. » Cette acceptation par la minorité des lois de la majorité est un miracle. Il y faut une forte affectivité commune qui permette de surmonter les divisions politiques. C'est (faut-il écrire « c'était »?) le cas en France. Mais comment imaginer que les Siciliens accepteront sans broncher les décisions des Danois, fussent-elles appuyées par la majorité des électeurs européens; ou réciproquement? La citoyenneté européenne est une abstraction parce que l'Europe est trop grande. Vous allez me dire que les Etats-Unis et la Russie aussi sont grands. Mais, outre qu'ils ont du mal à maîtriser leurs espaces, ce sont de vraies nations; les Américains ayant éliminé les Indiens, et les Russes, largué leur empire.

En Europe, au contraire, sur un espace comparable vivent plusieurs fortes et vraies nations, dont nous avons constaté qu'elles étaient chacune une civilisation.

Je rectifie donc. La citoyenneté européenne restera une abstraction, et la démocratie, à l'échelle de l'Europe, impossible tant que les nations composant l'Union n'auront pas disparu. Et la disparition de ces nations, de ces civilisations-là, serait, nous l'avons dit, un cataclysme culturel et historique.

Dans un livre courageux [1], mais que la mode vouait

1. *La France ou la souveraineté menacée*, Odile Jacob, 1991.

à l'insuccès, un jeune Français de gauche, Jean-François Bensahel, a eu le courage de souligner le lien essentiel qui existe entre la démocratie et la nation. La thèse centrale de son livre est exactement celle que j'énonce.

Sans souveraineté nationale, plus de démocratie. Pour Bensahel, la mode européiste contribue puissamment à dégoûter les citoyens de la politique. Jadis, la citoyenneté française était désirée comme un honneur. Aujourd'hui, nos éditeurs scolaires nous concoctent des manuels d'histoire « européens », et la plupart des dirigeants rêvent de prendre congé de la nation.

2 – L'européisme met en cause notre souveraineté

La souveraineté de la France est évidemment compromise par la monnaie unique qu'on nous annonce pour 1999. Le nom de cette devise est laid ; pour une fois d'accord avec Giscard, je préférais l'écu. Sa réalité sera difficile à vivre. C'est méconnaître le poids du symbolique dans la société que de vouloir renoncer à ce que représente le franc. Comme le suggère Alain Peyrefitte, nous aurions pu garder les monnaies nationales et nous contenter pour l'Europe d'une monnaie commune. Il y a dans tout cela un acharnement à détruire. Je vois mal comment un grand Etat pourra rester « souverain » en renonçant à battre monnaie. Je vois encore moins les avantages que nous en retirerons. Nous en reparlerons à propos du libéralisme économique qui semble devenu la théologie de l'Europe.

Mais sur le point qui nous intéresse ici, il est tout à fait clair que la monnaie unique nous entraîne vers la sujétion.

Nous aurons très peu d'influence sur la banque centrale, qui sera un décalque de la Bundesbank. Déjà la Banque de France, depuis qu'elle est « indépendante », se soucie fort peu des orientations économiques du gouvernement. Avec la monnaie unique, inévitablement, les politiques fiscales et budgétaires échapperont aussi à Matignon.

Le retour dans l'OTAN révèle que l'européisme, loin d'être une volonté d'indépendance européenne, n'est que l'acceptation de la sujétion à l'empire. Qu'ont à faire les Américains dans la défense de l'Europe ? Née pour la guerre froide, cette Alliance atlantique a moins de raisons d'être encore que lorsque de Gaulle est sorti de son organisation intégrée. Que gagnons-nous à y rentrer ?

Je lis dans *Le Monde* que la France ambitionne un « grand commandement, celui du Sud ». Et alors ? Croire influer en étant vassal fut une illusion commune sous la Quatrième République. J'imaginais que le général de Gaulle nous avait appris que c'est en étant indépendant qu'on influe.

La mode européiste exerce des ravages particuliers sur les commissaires français de Bruxelles.

A la Commission, les commissaires européens issus

des autres nations n'oublient jamais les intérêts de leurs pays d'origine. Les commissaires français se distinguent des autres (à peu d'exceptions près) par leur européisme militant. Ils font l'impossible pour faire oublier la tare qu'ils ont d'être français, et européisent, *in abstracto*, avec un zèle de néophyte.

Un livre récent d'Yves Thibault de Silguy [1] est un bon exemple de cette dérive, sans que l'auteur en ait probablement conscience.

Deux des plus caractéristiques aspects de l'exception française sont mis en cause par Maastricht :

— Le colbertisme d'abord. La notion de service public nous est assez spécifique. C'est une grande idée, une idée républicaine. L'idée que les citoyens qu'ils habitent en ville ou à la campagne doivent avoir accès égal à certains services, école, transports, courrier, soins médicaux, électricité. Alors que les entreprises privées ne vont que là où c'est rentable.

En France, l'Etat intervient depuis des siècles dans l'économie. Pour ne parler que de l'époque récente, sans l'Etat y aurait-il eu l'équipement nucléaire civil le plus complet du monde ? Y aurait-il encore une aéronautique française ? Y aurait-il eu Ariane ? C'est l'Etat qui a haussé la France au niveau des technologies de pointe. Et c'est la France qui a souvent réussi à y entraîner ses voisins comme l'illustre le centre spatial européen de Kourou.

Les autres nous envient pour cela. La plupart, même

1. *Le syndrome du diplodocus. Un nouveau souffle pour l'Europe*, Albin Michel, 1996.

l'Allemagne, ont délaissé ces productions de puissance qu'ils abandonnent volontiers à l'Amérique. Il y a fort à craindre que la nouvelle donne européenne nous y fasse renoncer. L'exemple de l'armement n'est pas encourageant. L'Europe des nations pourrait fabriquer toutes ses armes chez elle. On voit bien, ici ou là, quelques coopérations intelligentes, mais le plus souvent, par exemple pour les avions, nos partenaires préfèrent acheter américain. Je croirai à l'Europe quand les Européens achèteront d'abord des avions européens.

— La laïcité ensuite. Car il faut bien le constater, la France est la seule nation laïque d'Europe. Partout ailleurs, on ne voit que religions d'Etat, concordats, impôts religieux : Espagne, Italie, Grande-Bretagne, Suède, Allemagne. L'enseignement confessionnel y est largement dispensé dans les écoles publiques. Pourrons-nous longtemps encore, devant la Cour européenne de justice, faire respecter nos principes de laïcité ?

3 – L'européisme met en cause la légitimité des États

La légitimité est une notion complexe. Un Etat légal – Vichy l'était certainement à ses débuts avant l'abolition de la République – n'est pas forcément un Etat légitime. De Gaulle pensait qu'en France, l'Etat ne saurait rester légitime après avoir renoncé à son indépendance.

La légitimité est donc davantage que la légalité formelle, davantage même que l'adhésion momentanée des citoyens. En juillet 1940, un court moment, les Français furent presque tous vichystes. La légitimité, qui s'enracine dans l'histoire de la nation, ne peut récuser longtemps le suffrage universel, mais elle peut en appeler d'une opinion trompée à une opinion mieux éclairée, ce que fit de Gaulle. Dans la légitimité se concentre l'affectivité du lien civique (la légalité est froide). Elle exprime la relation intime du citoyen avec le pouvoir. Le cri rituel de l'Ancien Régime était un cri de légitimité : « Le Roi est mort, vive le Roi ! » La légitimité implique la continuité historique, la non-rupture avec le passé.

Or, la légitimité de l'Etat-nation est mise en cause par la faute du traité de Maastricht, par en haut et par en bas.

Maastricht détruit les Etats par le haut.

Le droit organise le fonctionnement des nations. Dans une démocratie, les lois sont votées par le Parlement ou en référendum.

Pourtant, dès aujourd'hui, la moitié des règles qui régissent la vie des citoyens français leur vient de Bruxelles.

Paul Thibaud a raison de parler de la « tyrannie des petites décisions sans justification claire » que sont les directives de la Commission. Jadis (c'était hier, mais cela semble déjà très loin, dans un autre monde où la République se faisait respecter), le Conseil d'Etat, tribunal suprême administratif, assurait avec opiniâtreté la primauté de la loi nationale. Seuls les traités internationaux signés par la France lui étaient supérieurs. Encore pouvaient-ils être contredits par une loi nationale postérieure. Ce qui est la moindre des choses si l'on veut respecter la démocratie.

Or la haute assemblée administrative a changé de doctrine par l'arrêt Nicolo du 20 octobre 1989.

En décidant, par une jurisprudence nouvelle que les traités internationaux s'imposeront *même aux lois nationales postérieures*, le fatal et nouveau comportement du Conseil d'Etat a enterré, de fait, la souveraineté française. L'austère assemblée, jadis créée par le Premier Consul pour défendre l'Etat, aliène aujourd'hui la souveraineté de ce même Etat. Bonaparte doit se retourner dans sa tombe. Le Parlement est abaissé et la démocratie avec lui. Une chambre de robins non élus a supprimé par une simple jurisprudence les effets de l'élection des députés au suffrage universel.

Le Parlement national se sent mal à l'aise (tous les députés vous le diront) en voyant lui échapper une large part de ses prérogatives. Le Parlement européen qui, lui, ne représente rien, et dont les citoyens des pays d'Europe se moquent assez, n'est qu'une caricature d'assemblée tout aussi impuissante que les anciennes « diètes » polonaises. Le Conseil d'Etat, lui-même oligarchique, a finalement consacré les technocraties de Bruxelles. Quant au gouvernement français, qu'il soit de gauche ou de droite, il n'imaginerait même plus de prononcer les fières paroles de Clemenceau en 1917 : « Le pays saura qu'il est gouverné. » Il s'abrite derrière les directives de Bruxelles (qui lui sont parfois communiquées en anglais basique) pour tenir un discours fataliste selon lequel « les critères européens » ne lui laissent aucun choix.

Comment s'étonner alors que les Français se sentent de moins en moins concernés par la politique ?

Ils élisent des députés nationaux qui légifèrent à peine sur moins de la moitié de leur droit. Ils ont un gouvernement qui déclare ne disposer d'aucune marge de manœuvre, car « il ne veut pas prendre la responsabilité historique de casser l'Europe ». Et si ces gouvernements qui ne veulent pas « casser l'Europe » étaient en train d'assumer devant l'Histoire le fait de « casser la France » ! Ne pourrait-on essayer de construire l'Europe des nations au lieu de détruire les nations de l'Europe ? L'« européisme » a tellement imbibé les esprits des dirigeants (alors que les gens restent patriotes) que l'on a pu lire en première page du journal *Le Monde* un grand article de la secrétaire nationale de la CFDT, Mme Nicole Notat, annonçant que « la colère monte ». Elle en énumérait avec pertinence les raisons (il s'agissait évidemment de la colère populaire). Cependant, dans la même intervention, comme mue par un réflexe mécanique, elle écrivait qu'il fallait appliquer à la lettre le traité de Maastricht et réaliser au plus vite la monnaie unique. Alors que l'on peut penser, et nous y reviendrons : c'est précisément cette politique-là qui provoque la colère !

L'européisme détruit aussi les Etats par le bas.

Par exemple, le Conseil de l'Europe [1] a concocté en 1992 une « convention sur les minorités nationales ». Ce texte, contrairement à notre tradition républicaine, accorde des droits quasi constitutionnels aux ethnies, aux communautés raciales ou religieuses qui pourront développer leurs différences « en toute liberté ». Malgré quelques hésitations, le gouvernement français va certainement signer cette charte, odieuse à toute notre tradition historique. Il y est conduit pour la raison que François Mitterrand fut à l'origine de ce document délirant.

Cette convention traduit clairement l'une des grandes tendances de l'européisme : détruire les Etats-nations afin que les ethnies, provinces, communautés, puissent traiter directement avec Bruxelles. C'est d'ailleurs aussi le désir secret de la plupart des grands élus provinciaux ; qu'ils soient de droite ou de gauche, ils font tous du *lobbying* à Bruxelles par-dessus les Etats. Et la Commission de se féliciter d'avoir à discuter non plus avec de forts Etats nationaux mais avec de serviles pouvoirs locaux. Tant pis si beaucoup de ces ethnies sont travaillées par des tendances peu démocratiques ! Les tribalismes de tout poil y trouvent une belle justification. Les « séparatistes » corses par exemple ressemblent beaucoup à ceux des Balkans. Ils pratiquent tout aussi allégrement que les Serbes une véritable

1. Le Conseil de l'Europe est l'auteur de la « Convention européenne des droits de l'homme de 1950 » et il a créé à Strasbourg une « cour de justice » à laquelle les citoyens français peuvent en appeler. « Conseil » et « cour de justice » se rattachent aujourd'hui au système européen.

« purification ethnique ». La Corse est la seule partie du territoire national français où il soit dangereux pour l'Hexagonal moyen de vivre. J'aime beaucoup et admire plusieurs des Corses qui vivent sur le continent. Je considère les poseurs de bombes de l'île comme des fascistes.

I Francesi fora est un slogan raciste ! Pour cette raison, alors que j'ai visité toutes les autres îles de la Méditerranée, de la Sicile à Chypre, je me suis toujours obstinément refusé à poser le pied sur ce territoire en proie à ce que je déteste le plus : le tribalisme raciste. Comment ces excités ne seraient-ils pas justifiés et encouragés par cette « convention sur les minorités nationales » !

La légitimité est une notion fugace. Un Etat légitime doit garder du *sens* aux yeux de ses citoyens. Quand le *sens* est confisqué en bas par les provinces, en haut par les institutions européennes, quelle fonction symbolique peut bien conserver alors l'Etat national ? Déjà les Etats faibles et moins historiquement fondés que les autres en sont profondément ébranlés.

La Belgique a été créée jadis par les ennemis de la France afin d'empêcher celle-ci de monter vers le nord. Ce fut l'œuvre d'abord des Espagnols et des Autrichiens, puis des Anglais après Waterloo. Aujourd'hui ces Etats se moquent bien que la Belgique existe ou pas. L'Etat belge avait cependant acquis une certaine légitimité. L'Europe l'a complètement détruite : quel intérêt par exemple les Flamands auraient-ils à rester belges maintenant qu'ils parlent directement aux institutions européennes ? Une Flandre compacte et dynamique se sent justifiée par l'Europe de se séparer de la Wallonie industriellement sinistrée (laquelle confirme son archaïsme en rêvant de rattachement à la France – Liège était française sous Louis XI – au grand désespoir des énarques parisiens à qui cette idée semble si saugrenue que, j'en ai la conviction, il n'existe certainement aucune « note » étudiant cette éventualité dans aucun ministère).

La situation n'est pas très différente pour l'Italie, mal réunifiée en 1870 et dans laquelle le *Risorgimento* a tourné en Mussolini. Les Italiens du Nord, très européistes, veulent traiter directement avec Bruxelles, en court-circuitant « Rome la voleuse » et en se débarrassant du Sud napolitain et sicilien qu'ils n'aiment pas. Au nom des valeurs de Maastricht, à quel titre s'y opposer ?

L'« européisme » délégitime les nations.

Même en France, on le sent. Dans nos petites villes, à côté du gonfanon local et du drapeau tricolore, flotte le niais drapeau bleu de l'Union. Si le droit ne vient plus du Parlement national ; si la Cour d'appel et la Cour de cassation ne sont plus pour le citoyen les instances suprêmes de la justice (puisqu'il peut en appeler à la Cour de justice européenne) ; s'il n'y a plus de monnaie nationale, ni de véritable liberté gouvernementale ; comment l'Etat serait-il encore ressenti par le Français comme souverain ?

Ce qui est très grave, c'est que cette *délégitimation* ne se fait pas au profit d'un véritable Etat fédéral, impossible à construire à l'échelle continentale avec des nations aussi différentes, mais au profit d'une *super-institution impotente.*

Nous avons souligné que les institutions européennes ne sont pas démocratiques mais technocratiques et oligarchiques ; que personne ne les aime vraiment (même les « européistes » sont des idéologues abstraits). Le plus grave, pourtant, c'est qu'elles sont « impotentes », et fort capables de détruire les Etats existants, tout en étant inaptes à créer à leur place et par-dessus un Etat qui en soit un.

Le vice de Maastricht, c'est de tuer les nations, sans rien construire de fort à leur place. Le drame des institutions européennes, c'est d'être tout à fait incapables de décisions réellement « politiques ».

4 – Maastricht, c'est la guerre !

La justification ultime des partisans du traité de Maastricht se résume tout entière dans le slogan « L'Europe, c'est la paix ».

Quand, poussés dans leurs derniers retranchements, ils vous ont beaucoup concédé, ils finissent par dire : Après les tueries de 14-18 et de 39-45, les vieilles nations européennes se sont écriées : Plus jamais la guerre entre nous. C'est là l'ultime justification du traité de Rome. Mais on pourrait tout aussi bien, en 1992, obtenir la paix par le concert traditionnel des Etats, dans le cadre d'une Europe des nations. Car la vérité est la suivante :

La guerre est devenue improbable entre les grands Etats d'Europe, pour la seule et simple raison que les lignes de force du monde se sont déplacées. Il ne s'agit plus entre France, Grande-Bretagne, Allemagne de se disputer l'empire du monde comme c'était le cas avant la Seconde Guerre mondiale. Faute d'enjeu, la paix entre ces Etats serait advenue, même sans construction européenne.

« L'Europe, c'est la paix » est donc un slogan décalé. Napoléon III, lui, disait : « L'Empire, c'est la paix », on sait ce qu'il en est advenu.

Instruit par ce précédent, ma conviction profonde est absolument contraire à celle des européistes : l'Europe de Maastricht, c'est la guerre ! Pourquoi ? Parce que nous sommes menacés en Europe par des guerres tribales à l'intérieur des Etats ; comme celles qui ont éclaté dans l'ex-Yougoslavie. Nous ne sommes plus menacés par des guerres traditionnelles entre nos nations historiques. Or les guerres tribales, Maastricht, nous venons de le constater dans les Balkans, ne les empêche nullement, précisément parce que l'Union européenne qu'on nous construit est celle de l'impuissance politique. (Nous parlions plus haut d'une institution impotente.)

L'Union, en fait de politique étrangère commune, en est réduite à faire celle de son plus petit participant.

Elle fait donc la politique étrangère du grand-duché du Luxembourg (nommé grand par antiphrase). Dans un livre plaidoyer [1], Hubert Védrine, qui fut secrétaire général de l'Elysée, répond à cet argument que nos institutions communautaires sont encore trop récentes et que plus tard, on verra ce qu'on verra...

Je n'en crois rien.

Pour la Bosnie, je constate que l'« Europe » fut un alibi pour ne rien faire. Sans elle, la France et la Grande-Bretagne, au nom de leur responsabilité de nations historiques, seraient probablement intervenues plus tôt, et par le feu, non pas en faisant semblant, sous le casque bleu de l'ONU. C'est le mérite de Jacques Chirac d'avoir fait tirer nos canons de 155 chenillés contre les Serbes, sur le mont Igman. Ce qui mit fin à la guerre (les Américains arrivant comme les carabiniers de la chanson). L'Europe n'y fut pour rien ; mais chez le président de la République française, humilié par le sort de nos soldats, une réminiscence d'honneur.

Avec Maastricht, les Etats seront de plus en plus désarmés. Surtout si l'on arrive à créer une pseudo-force européenne.

Un soldat peut encore mourir pour la France ou la Grande-Bretagne. Quel soldat, même professionnel, accepterait de donner sa vie pour la Commission de Bruxelles ?

« Personne ne mourra jamais pour les identités post-nationales. Par contre, beaucoup de gens continuent de

1. *Les Mondes de François Mitterrand*, Fayard, 1996.

mourir pour leur patrie », constate Pierre-André Taguieff[1].

Il faut en effet, pour accepter de donner sa vie, plus encore que pour militer ou accomplir ses devoirs civiques, de l'affectif.

Que pourrait donc faire l'« Union » si demain, les Flamands et les Wallons s'étripaient ? L'Europe qu'on nous prépare c'est, à coup sûr, la guerre tribale non réprimée.

S'il survenait des guerres extérieures, elle s'en remettrait à l'Amérique !

---

1. *La République menacée*, Textuel, 1996.

CHAPITRE 10

Le libéralisme contre les nations

Des deux doctrines internationalistes de l'époque, l'une, le marxisme, s'est écroulée (Marx redevenant ce qu'il est : un bon observateur de la société industrielle de son temps), l'autre, le libéralisme, triomphe.

Les deux ont en commun d'avoir méconnu totalement le fait national, tout du moins en pure doctrine, car Staline, quand il le fallut, sut s'appuyer sur le patriotisme russe. Le libéralisme ne s'intéresse qu'au libre flux des marchandises et des finances, au libre jeu de la concurrence; c'est la doctrine à la mode.

Je n'en tire pas des conclusions légères : les modes intellectuelles sont contraignantes et agissantes. Quand Victor Hugo fait dire à Gavroche : « Je suis tombé par terre, c'est la faute à Voltaire, le nez dans le ruisseau, c'est la faute à Rousseau », il constate que Voltaire et Rousseau sont les vrais pères de la Révolution française. Contrairement aux apparences, les idées mènent le monde. Elles sont pourtant toutes partielles. Il y a évidemment une vérité du marxisme : la lutte des classes ; comme il y a une vérité du libéralisme : la libre entreprise et la concurrence ont des vertus. Mais quand on en fait des absolus, ces idées justes se dégradent en modes tyranniques. De la vérité libérale triomphante découlent aujourd'hui certaines conclusions erronées :

1 – « Les nations sont trop petites pour l'économie »

« Les Etats-nations ne sont plus en mesure de maîtriser une économie devenue mondiale » : cette idée est devenue la tarte à la crème du discours économique. Il s'agit de la fameuse « mondialisation ».

L'erreur consiste à croire qu'il en ait un jour été autrement.

En vérité les Etats ont toujours été beaucoup plus petits que l'« économie-monde » (comme disait Braudel). L'empire romain lui-même, la plus vaste construction politique édifiée par les hommes (à l'exception des empires coloniaux, ou de celui de Gengis Khan), s'étendait de l'Ecosse à l'Arabie, malgré cela il restait beaucoup plus petit que l'« économie-monde » de l'époque, laquelle englobait aussi la Chine, les Indes et l'empire perse.

Les cités ou les nations n'ont jamais été, économiquement parlant, que des canaux de dérivation, branchés sur le fleuve économique général, et le faisant en partie travailler à leur compte. Le moulin est plus petit que la rivière, il en utilise pourtant l'énergie.

La valeur des échanges n'a guère varié. Il est vrai que, à la Renaissance par exemple, les quantités transportées étaient, en tonnage, des milliers de fois moins importantes qu'aujourd'hui. Mais si l'on considère leur prix, il n'y a plus tellement de différence. Les épices que portaient les grandes galères *a mercato* de Venise, valaient littéralement leur poids actuel en diamants.

Se couper de l'économie mondiale par un protectionnisme abusif a toujours été néfaste, c'est la vérité du libéralisme. Mais d'un autre côté il ne faut pas exagérer, comme le font les libéraux, l'importance relative du commerce international. Aujourd'hui, comme hier, les deux tiers ou les trois quarts du produit national brut sont purement territoriaux et ne doivent rien aux flux mondiaux. La France, par exemple, était aussi ouverte au « marché » il y a une, deux ou trois générations qu'aujourd'hui. A cause de ce rôle du marché national, la consommation locale a gardé une importance certaine.

2 – « Le capitalisme est totalement apatride »

Comme la précédente, cette affirmation est une erreur grossière.

En réalité, les grands capitalismes conquérants ont toujours été nationaux et largement étatiques.

La république de Venise a inventé (avec Gênes et Florence) la comptabilité en partie double, la lettre de change, la monnaie fiduciaire, la Bourse (au Rialto), la banque, en un mot le capitalisme moderne. A l'époque de son apogée au XVe siècle, elle était branchée sur l'« économie-monde » et commerçait de la Scandinavie et de l'Angleterre à la Chine, en passant par l'Egypte et la mer Noire. Elle restait cependant une cité, à l'antique, fort patriote, l'une des rares dans laquelle la classe dirigeante ait le plus souvent fait passer l'intérêt commun avant son intérêt de classe ; un Etat fort ; une économie très administrée (avec des « offices » du « blé », du « sel », comme sous le Front populaire) ; la plus grande entreprise « nationalisée » du monde, dans laquelle travaillaient des milliers de spécialistes, l'Arsenal où l'on construisait les galères à la chaîne (selon des procédés que Taylor n'aurait pas reniés, s'il avait eu assez de culture pour les connaître) ; sans parler d'un urbanisme très directif (il est vrai imposé par la contrainte du milieu hostile de la lagune).

Et quand ses intérêts d'Etat s'opposèrent à ceux de son commerce, elle n'hésita jamais à sacrifier ces derniers. C'est ainsi, alors que sa vie économique dépendait largement de ses relations avec l'empire ottoman, qu'elle gagna contre les Turcs la plus grande bataille navale de l'Histoire (quarante-cinq mille morts !), pas seule, certes (pour des raisons diplomatiques elle avait cédé le commandement à don Juan d'Espagne), mais fournissant la majorité des navires et des équipages et la totalité des galéasses. Le patriciat vénitien y perdit au champ d'honneur des centaines de ses membres.

Le Japon est aujourd'hui la seconde puissance capitaliste du monde. Ce capitalisme-là s'est bâti longtemps sur le patriotisme. Les Japonais, à cause de leur civisme, achetant de préférence les produits japonais, même beaucoup plus chers. Cela permettait aux entreprises nipponnes, assurées d'un prospère marché intérieur (le marché intérieur, je l'ai dit, même à notre époque de mondialisation, assurant toujours la part la plus importante du PNB) de vendre, à perte, sur la scène internationale et de conquérir ainsi des clientèles.

Les Etats-Unis sont le phare du libéralisme mondial. Dans leur culture nationale, l'Etat a mauvaise presse. Il n'empêche que le capitalisme américain est formidablement protectionniste ; l'épopée ratée de notre Concorde est là pour le rappeler. L'Etat fédéral (un véritable Etat, lui ; rien à voir avec la Commission de Bruxelles) y intervient massivement, par des commandes militaires, par des règlements tatillons dressant mille obstacles devant la concurrence étrangère. Dans les accords commerciaux internationaux, l'Etat américain jette tout son poids et toute sa mauvaise foi dans la balance pour emporter les marchés. Il use aussi de son influence culturelle « impériale » pour imposer ses normes et ses goûts afin de se créer des clientèles « captives ». Tout le monde se souvient des quotas de films américains imposés à Blum, président du Conseil français. Tout le monde constate que l'ouverture des McDonald's, partout dans le monde, est l'avant-garde d'une entreprise plus large.

En réalité, les grands capitalismes ont toujours été

protégés par des Etats nationaux, fort intervenants voire « dirigistes » au mépris même de la doctrine libérale. La doctrine libérale du « laisser faire-laisser passer » est seulement une doctrine à l'usage des assujettis, des sujets.

C'est aux puissances dominées qu'on la prêche, se gardant bien de l'appliquer chez soi. C'est pourquoi il est lamentable de voir l'Europe y adhérer.

Je rappelle que le traité de Rome prévoyait un protectionnisme communautaire, avec une forte barrière extérieure commune.

Depuis l'Acte unique, l'Europe est devenue un grand marché ouvert à tous les vents de la concurrence internationale.

La Commission de Bruxelles déploie une énergie vraiment extraordinaire afin de briser les ententes les plus évidentes, comme, par exemple, l'accord conclu entre l'aéronautique française et le constructeur canadien De Haviland. La Commission, prisonnière d'une idéologie fanatique, veille jalousement au respect des lois sacrées de la concurrence, censées profiter au consommateur européen. Certes, il en profite dans un premier temps. Mais ensuite, devant l'écroulement de pans entiers de l'industrie européenne que des accords intelligents eussent sauvés, il se retrouve au chômage. L'idolâtrie de la concurrence est un aveu ; l'aveu que l'Europe de Maastricht n'a nullement l'ambition de résister aux Etats-Unis, ambition pourtant affichée des européistes ; loin de leur résister, la Commission leur prépare en général le chemin.

3 – Le monétarisme

Avec la monnaie la plus forte du monde, le dictateur portugais Salazar amena son pays à la ruine industrielle.

Le « franc fort » nous dirige vers le même résultat : comment vendre sur le marché mondial des Airbus qui nous sont payés en dollars faibles ? Avec un dollar à six francs, Airbus Industrie gagne de l'argent ; avec un dollars à cinq francs, il en perd.

Les Américains, d'ailleurs, ne se soucient pas de la valeur nominale de leur monnaie et la laissent filer.

Les Allemands, qui avaient entrepris la tâche immense de restaurer l'économie ruinée de l'Allemagne de l'Est, avaient besoin d'injecter dans l'entreprise de la réunification beaucoup de milliards ; ils craignaient donc à juste titre l'inflation.

Mais nous ? Tous les économistes avouent (même Jacques Delors) que nous eussions dû dévaluer en 1992. L' « euro » ne sera selon la forte comparaison d'Emmanuel Todd qu'un « mark CFA » (par allusion au « franc CFA » d'Afrique de l'Ouest).

Or, nous accélérons notre entrée dans la monnaie unique, c'est-à-dire la zone mark contre nos intérêts les plus évidents.

En réalité, les dirigeants économiques de l'Europe, en fait ceux des banques centrales « indépendantes », sont malthusiens. Comme l'est le traité de Maastricht.

Malthusienne, la lutte contre les déficits budgétaires, la dictature de Bercy (le ministère des Finances, aujourd'hui en France le véritable centre de l'Etat), renforcée par l'argument européiste, le devient de plus en plus. Par convention, un budget est une somme allouée annuellement. Un budget doit être en équilibre. Sur ce point Keynes (qui recherchait la croissance par le déséquilibre budgétaire) avait tort.

Mais l'équilibre budgétaire est une nécessaire convention comptable, rien de plus. Dans le cadre d'un budget annuel, il est impossible de rien entreprendre. Napoléon III aurait-il pu construire les chemins de fer français ou le canal de Suez dans ce cadre-là?

C'était pourtant le règne des grands banquiers. Mais les frères Pereire n'étaient pas M. Trichet [1]. Ils avaient assez d'intelligence pour trouver, hors budget, des moyens d'action financiers. Sans parler du baron Haussmann à qui Paris doit tant.

On ne saurait toutefois reprocher aux « budgétaires » de Bercy de faire leur métier de fonctionnaires qui disent toujours « non ». Ce sont des spécialistes, j'allais dire, ce ne sont *que* des spécialistes. Appliquons-leur donc l'adage romain *Cedant arma togæ* (les armes [budgétaires] doivent céder le pas à la toge [politique]). Aux politiques nationaux de faire reconnaître leur primauté à leurs énarques, inspecteurs des finances. Pour financer les grands investissements de la nation, recourons, comme le préconise le commissaire au Plan, Henri Guaino, à l'emprunt. En effet, le « budgétarisme »

1. Gouverneur de la Banque de France.

mène l'Etat national à la misère et, par son idéologie bornée, à la récession.

Décidément l'idéologie, qu'elle soit marxiste ou libérale, est dangereuse pour l'économie : le dirigisme absolu mène à l'effondrement soviétique ; le libéralisme total à l'implosion de la ville de Liverpool sous Mme Thatcher. L'économie demande du pragmatisme. On conduit un Etat dans les vents économiques non pas comme un hors-bord à moteur mais comme un bateau à voile. Tous les plaisanciers savent que si l'on veut aller droit avec un voilier, il faut donner un coup de barre à droite, puis un coup à gauche, remonter au vent. Si l'on garde la barre toujours dans le même sens, on tourne en rond. Il faut du pragmatisme et de l'imagination.

Prenons en France l'exemple de la « politique de la ville », à laquelle le ministre concerné réussit péniblement à consacrer quelques milliards de francs (et plus tard, combien d' « euros » ?).

Il en faudrait deux cents pour démolir ces affreuses « barres » d'immeuble et les reconstruire en riantes cités. Projet enthousiasmant, nécessaire, si nous voulons vraiment réduire la « fracture sociale » que promettent à la France ses centaines de mini-Los Angeles, dits pudiquement « quartiers en difficulté ». Projet qui, de surcroît, procurerait de l'emploi à ceux-là mêmes qu'on désire reloger ; le bâtiment étant grand employeur de non-diplômés ; et ce, infiniment plus que les « zones franches » où l'on voit aujourd'hui la panacée.

Or, il serait facile de trouver cet argent par l'emprunt, les Français étant les épargnants qui détiennent le plus de liquidités disponibles en Europe. L'activité économique induite créerait en plus des ressources fiscales nouvelles qui rendraient aisé le service de la dette!

Alors que la stricte chasse aux déficits budgétaires va diminuer encore le rendement des impôts futurs et, paradoxalement, creuser le déficit du budget. On peut appliquer ce raisonnement à d'autres objets.

Refaire une école digne de ce nom coûterait à la République quatre-vingts milliards. Pourquoi pas un emprunt de l'Education nationale? Et il ne s'agit là que du marché intérieur. Pour le commerce extérieur, une monnaie qui cesserait d'être alignée sur le mark, donc surévaluée, permettrait à nos industriels de conquérir moult marchés. L'Etat national retrouverait une liberté d'action qu'il aliénera au contraire durablement (heureusement rien n'est définitif) avec la monnaie unique.

Le libéralisme européiste est le responsable direct du chômage et de l'effondrement de larges parts de notre industrie.

Les Allemands n'ont pas les mêmes problèmes; outre le fait qu'ils vont bientôt profiter des investissements énormes accomplis en Allemagne de l'Est (investissements en partie financés avec notre rigueur), ils possèdent une industrie mécanique très forte dans les secteurs moyens de la machine-outil, moins fragiles que nos secteurs de pointe.

En fait, les Allemands sont les seuls à profiter vraiment de Maastricht qui possède aussi l'énorme avantage de leur redonner une virginité politique, postnazie, et les clefs de l'Europe centrale.

Les petits Etats n'ont plus grand-chose à perdre comme souveraineté. La Grande-Bretagne sauvegarde jalousement son indépendance et sa livre sterling. Seule la France n'a que des coups à prendre dans cette galère. Au temps du traité de Rome et de De Gaulle, il en allait autrement. L'Europe des Six, avec une Allemagne divisée et la Grande-Bretagne dehors, était alors une espèce d'Europe française. La langue de la Commission, le français, en faisait foi. Aujourd'hui, l'Europe de Maastricht n'est plus qu'une zone de libre-échange américanisée (l'anglais est de plus en plus la langue de la Commission) et sans volonté politique.

Reste à comprendre pourquoi l'immense majorité de nos dirigeants met tellement d'énergie à y conduire un peuple rétif.

Quatrième partie

LES FORCES DE DISLOCATION INTERNES

CHAPITRE 11

La crise du civisme

Les nations ne sont vivantes que lorsqu'un lien affectif maintient ensemble, avons-nous dit, toutes les parties du corps social. J'illustrerai cette affirmation par deux textes exemplaires tirés de l'Histoire.

« Dès ce moment, jusqu'à celui où les ennemis auront été chassés du territoire de la République, tous les Français sont en réquisition permanente pour le service des Armées. Les jeunes iront au combat, les hommes mariés forgeront les armes et transporteront les subsistances, les femmes feront des tentes, des habits et serviront dans les hôpitaux, les enfants mettront le vieux linge en charpie, les vieillards se feront porter sur les places publiques pour exciter le courage des guerriers, prêcher la haine des rois et l'unité de la République », dit une proclamation affichée dans toutes les communes de France, en 1793, par la Convention.

« En l'an 456 avant Jésus-Christ, le consul Minucius, vaincu par les Eques, était assiégé dans son camp.

Il fallait, pour le délivrer, une nouvelle armée. Cincinnatus est nommé dictateur. Au point du jour, il se rend sur le forum, ordonne la fermeture des tribunaux, des magasins, et défend aux citoyens de s'occuper de leurs affaires privées. Chaque homme valide doit s'armer... Quelques heures plus tard de nouvelles légions écrasent les Eques. La campagne était terminée », raconte Léon Fontaine dans un livre sur l'armée romaine.

Le problème de nos nations modernes est précisément à l'opposé de celui de la France révolutionnaire ou de la Rome républicaine. C'est celui de la disparition des valeurs civiques. A l'exception des valeurs propres à l'individu ou à la modernité, les autres valeurs y tombent en ruine. Ainsi, la solidarité civique disparaît.

S'il revenait aujourd'hui, Cincinnatus ne pourrait plus « défendre aux citoyens de s'occuper de leurs affaires privées ». Car chacun de nous ne songe précisément qu'à préserver ses intérêts particuliers. Les libéraux ont même fait doctrine de ce comportement. Ce qui est bon pour l'individu, pensent-ils, est bon pour la collectivité. Je suis totalement persuadé du contraire. Non que le bien de l'individu s'oppose forcément au bien social, mais, à coup sûr, il ne suffit plus à y pourvoir!

Dans les deux textes cités, nous avons constaté au contraire que c'était le « mythe civique » qui donnait aux deux sociétés leur cohésion, le mythe maternel et paternel de « la patrie en danger » dans lequel l'Etat (la Convention, Cincinnatus) assurait la fonction de père, et la nation (la France, Rome) la dimension utérine, celle qui enveloppe « les enfants de la patrie ».

Cette fraternité-là, cette fraternité de la cité, c'est peu de la dire menacée, elle est en ruine. Beaucoup s'en réjouissent. Ils y voient un affranchissement nouveau pour les individus. Mais les observateurs les plus lucides savent, eux, que la désintégration du système civique produit la barbarie.

Nos sociétés sont envahies par un nouveau cynisme ; nouveau, car il ne s'agit plus seulement d'une pose intellectuelle ; il s'agit aujourd'hui d'un cynisme de masse.

Le cynisme était dans l'Antiquité une philosophie dont le représentant le plus connu, Diogène, vécut de 410 à 323 avant Jésus-Christ. Les cyniques étaient passés de la critique des vices à la critique des convenances, de la critique des convenances à celle des morales ; pour atteindre à la critique radicale des hommes. Ils maniaient déjà avec maestria la « dérision », et s'employaient à discréditer les valeurs reçues, comme le feront de nos jours Genet et Antonin Artaud. Il y a cependant une différence capitale entre le cynisme de l'Antiquité et le cynisme moderne. Le cynisme était chez les Grecs une pensée « ascétique » (tout le monde connaît l'image de Diogène vivant dans un tonneau). Le cynisme moderne est un cynisme de consommation. Plus grave, la philosophie cynique était chez les Anciens l'idéologie d'une élite, alors qu'aujourd'hui, par la grâce des médias, le cynisme est devenu une mode de masse, illustrée en

France par les sketches talentueux d'un Desproges [1] ou par les prestations télévisuelles de Nulle Part Ailleurs (Canal Plus), sur lesquelles je ne porterai pas de jugement. Cette critique (corrosive) de masse détruit les valeurs puritaines et tartuffiennes, ce dont il faut se réjouir ; le problème, c'est qu'elle détruit aussi les valeurs humanistes de la Cité.

Mais il y a pire : ceux qui croient encore à quelque chose y croient *contre* la Nation.

1 – Un exemple révélateur : les sans-papiers de Saint-Bernard

Un exemple de cette confusion mentale nous est donné par l'affaire dite « des sans-papiers de Saint-Bernard ». Ce qui est intéressant dans cette histoire, ce n'est pas seulement l'attitude des Africains, c'est l'attitude des militants, non nihilistes et plutôt généreux, qui les ont soutenus, mais au mépris des lois de la cité.

En août 1996, dans le quartier populaire de la Goutte d'Or (que je connais bien pour m'y être jadis occupé des « blousons noirs »), trois cents Africains, pour la plupart originaires du Mali, occupaient l'église Saint-Bernard. L'action avait commencé en avril par l'installation dans une première église, d'où la police les avait délogés. Ces Africains furent expulsés de Saint-Bernard le 23 août.

1. *Chroniques de la haine ordinaire*, Le Seuil, 1987.

Depuis un certain nombre d'années, un accord avait fini par se réaliser entre tous les leaders politiques, à l'exception de Le Pen, sur une politique raisonnable de l'immigration.

D'abord, l'acceptation d'une immigration régulière. Pendant longtemps, pourtant (depuis l'arrêt de l'immigration de travailleurs par le président Giscard d'Estaing), la thèse de l' « immigration zéro » avait prévalu, à droite comme à gauche. Président de l'office des migrations de 1989 à 1991, je crois avoir beaucoup agi pour y faire renoncer les dirigeants. En particulier, le 10 octobre 1989, en première page du *Monde*, j'avais démontré que « cent mille immigrants nouveaux entraient chaque année en France » ; et ce, par des procédures régulières, dont le regroupement familial géré par l'office que je présidais. Ce chiffre, fort contesté à l'époque (car les amis des immigrés ne tiennent pas tellement à ce qu'on dise combien il en rentre), est officiel aujourd'hui. D'ailleurs, il varie peu.

Ensuite, l'accord s'était fait aussi sur la lutte contre l'immigration irrégulière. Conseiller du président Mitterrand, puis de Charles Pasqua (avec l'accord du premier), j'avais fait progresser l'idée que la lutte contre l'immigration irrégulière (je préfère ce terme à celui de « clandestine », la plupart des entrées irrégulières se faisant par détournement de procédures, plus que par franchissement clandestin des frontières) était toute de « dissuasion » – à l'exception évidemment de la mise hors d'état de nuire des employeurs « au noir » – il est en effet impossible de fermer les cinq mille kilomètres de frontières françaises, même en y déployant l'armée. En revanche, des dizaines de milliers d'irréguliers se font prendre chaque année. Il est loisible alors de les renvoyer chez eux. Il faut sortir du misérabilisme néo-colonial quand on parle de ces choses : être renvoyé chez soi, au Mali par exemple, pays paisible et beau, où l'on ne meurt pas de faim, ce n'est pas être renvoyé en enfer [1] ! La reconduite est très dissuasive, la venue irrégulière coûtant fort cher (entre trente et cinquante mille francs). L'usage de « charters » n'a rien non plus de scandaleux. Si j'étais un immigrant irrégulier qui s'est fait prendre, je préférerais être renvoyé chez moi en avion spécial, plutôt que menottes aux poings dans un avion commercial régulier.

Le seul critère de sévérité étant la date d'arrivée : plus on renverra les arrivants récents, plus on pourra user de régularisations humanitaires pour les irréguliers, anciennement établis, dont la vie paisible plaiderait pour une bonne intégration ; à condition, évidemment, que la régularisation reste reconnue comme relevant du bon vouloir de l'Etat.

La France est encore le pays du monde d'où l'on expulse le moins ; le pays où l'on court le moins de risque de se faire expulser quand on y a mis le pied. D'ailleurs la « loi Pasqua » sur l'immigration reste une loi raisonnable. A la télévision, au Cercle de minuit de

1. La famine, en Afrique comme ailleurs, est liée à la guerre civile, à la faillite de l'Etat : Liberia, Sud-Soudan, Ruanda, etc. Pays d'où précisément peu d'immigrés arrivent, les réfugiés préférant rester à proximité de chez eux.

France 2, Laure Adler [1] avait réuni sur ce sujet un aréopage très « immigrationniste ». Il y avait là Mme Costa-Lascoux, immigrationniste, mais intellectuellement honnête. Il fallut voir la tête des associatifs quand cette digne experte affirma que « la loi Pasqua est la plus libérale et la plus humanitaire d'Europe ». Laure Adler en eut le souffle coupé!

Depuis cette loi, des progrès ont été accomplis. Sur les cinquante mille irréguliers qui se font prendre chaque année, on réussit à en reconduire treize mille (au lieu de huit mille, avant la loi). C'est un progrès, mais insuffisant. Pour que les reconduites soient réellement dissuasives, il faudrait qu'elles concernent vingt à trente mille personnes par an (ce qui nous laisserait encore loin derrière nos voisins allemands). Il est impossible, si l'on veut faire accepter l'immigration régulière de cent mille nouveaux arrivants par an, de recevoir, en plus, des dizaines de milliers d'irréguliers, condamnés aux combines, et empêchés, par leur situation même, de s'assimiler.

Quoi qu'il en soit, l'accord de la classe politique était fait : acceptation de l'immigration régulière, lutte contre l'immigration irrégulière.

Patatras, l'affaire de Saint-Bernard allait réveiller les vieux démons.

On peut croire qu'à l'origine l'idée d'occuper une église était venue aux Africains tout seuls.

Mais très vite s'abattirent sur eux un certain nombre

1. Le lundi soir, 23 septembre 1996.

de militants divers. Je ne critique pas l'action de la Ligue communiste, elle est cohérente : Krivine est trotskiste, internationaliste, et veut détruire l' « Etat bourgeois ». Par contre, l'action des autres fut illogique et même néfaste. Entendons-nous bien. Je ne pense pas anormal que les irréguliers se trouvent des défenseurs. Mais, dans l'action judiciaire, les avocats reconnaissent la légitimité des procureurs. Là, non!

Nos nouveaux défenseurs des immigrés irréguliers ignorent superbement les droits de l'Etat.

Ils tiennent un discours symétriquement inverse de celui de Le Pen. Pour Le Pen, l'immigré a toujours tort; pour eux, l'immigré, fût-il irrégulier, a toujours raison.

Ils ont inventé l'euphémisme de « sans-papiers » pour parler des irréguliers. « Irrégulier » renvoie à la fraude; « sans-papiers » à la perte de quelque chose d'important, comme « sans-famille »; c'est un bel exemple de manipulation linguistique, génial d'ailleurs. Ils ont osé parler d'un « droit » que les irréguliers auraient à exiger des papiers. Quand on entre dans un cinéma et que l'on se fait prendre sans ticket, on a le droit de se faire mettre à la porte!

Les « droits de l'homme » sont une chose trop importante pour être dévoyée. Pour conforter leur discours, tout de même un peu étonnant, sur le droit à la régularisation (la régularisation n'est pas un droit; elle est une « faveur » qu'accorde l'Etat quand bon lui semble; bon prince, il régularise très souvent), ils ont menti avec une parfaite bonne conscience en affirmant que, sans la loi Pasqua, ces Africains auraient été des réguliers, d'où « leurs droits », etc.

C'est faux. A l'exception de quelques dizaines de « parents d'enfants français ». Il faut savoir que ce cas des « parents d'enfants français » relève non de la loi Pasqua, mais de la loi Méhaignerie sur la nationalité. Le garde des Sceaux a justement voulu s'opposer à un détournement courant de procédure. Des immigrés faisaient venir leur femme, laquelle accouchait en France. Ensuite, la loi leur permettait alors de demander pour le nouveau-né une carte d'identité française. Il leur restait à se faire régulariser. C'est à ce détournement de procédure que la loi Méhaignerie a mis fin. Mais, comme il faut solder le passé, les ministres de l'Intérieur successifs ont ordonné aux préfectures de régulariser les parents d'enfants nés en France avant le 1er janvier 1994. Date d'effet des lois nouvelles.

A ces exceptions près, elles-mêmes nées d'un savant détournement des lois antérieures, les Africains de Saint-Bernard ont toujours été des irréguliers, et même des irréguliers conscients. La loi Pasqua n'a rien à voir avec eux. La moitié d'entre eux étaient des demandeurs d'asile. Or, ils sont presque tous maliens. Depuis six ans, le Mali est un pays démocratique. Les avocats ou conseillers qui ont poussé ces Maliens à demander l'asile politique en France les ont donc, sciemment, menés vers une voie sans issue. Au reçu de leur demande, il leur a été délivré un récépissé qui leur donnait un droit provisoire de séjour (sans le droit au travail, supprimé par Rocard) jusqu'au jugement de leur affaire par l'office spécialisé, sous le contrôle du Quai d'Orsay, l'OFPRA.

Etant, à juste titre, déboutés de leur demande par l'OFPRA, ces demandeurs d'asile n'avaient plus qu'à retourner chez eux (au besoin avec une aide spécifique de l'office des migrations, prévue par les textes). Ils ne l'ont pas fait, en toute conscience, se maintenant ainsi illégalement sur le territoire national.

L'autre moitié étaient des femmes et des enfants, venus en France hors de la procédure régulière du regroupement familial gérée par l'office des migrations internationales (OMI). Et les conditions de regroupement, fixées par les socialistes, sont pourtant raisonnables.

Le demandeur doit être en situation régulière (c'est bien le moins), disposer d'un logement aux normes HLM, et d'un revenu égal au SMIC. Ces regroupements familiaux sauvages, à l'image des familles de Saint-Bernard, sont une grave source de troubles. Souvent, il s'agit de deuxième et troisième épouses (ce que les associatifs se gardent bien de souligner).

La polygamie est peut-être viable en Afrique où chaque femme dispose d'une case, elle ne l'est pas dans un F4. Les épouses se chamaillent et leurs enfants transportent cette atmosphère tendue à l'école. La loi Pasqua a interdit avec raison les regroupements familiaux polygames (que la jurisprudence du Conseil d'Etat – encore lui – avait autorisés auparavant par le néfaste arrêt Montcho).

Donc, les Africains de Saint-Bernard étaient, sont, des irréguliers avérés, des fraudeurs conscients. On eût compris qu'ils demandent, pour des raisons humanitaires, une régularisation que l'Etat a toujours le droit régalien d'accorder. (Et qu'on ne parle pas ici d'arbitraire. Le droit régalien n'est pas l'arbitraire ; il est légal.) Leurs mauvais conseillers les ont poussés au pire en leur affirmant qu'ils avaient des « droits ». Quand un irrégulier affirme avoir droit à une carte de séjour, on croit rêver. Quand il dit n'être pas un clandestin, il joue sur les mots.

Dans aucun pays démocratique au monde (même dans la Grande-Bretagne de l'*habeas corpus*) une telle comédie ne serait imaginable. On se demande quelle idée les militants qui les soutiennent peuvent avoir des droits de l'Etat ?

En vérité, ils n'en ont aucune. L'Etat n'existe pas pour eux, sauf à l'instant où ils lui demandent des subventions. Car, il faut savoir, ô paradoxe, que la plupart des associations « immigrationnistes » sont largement subventionnées sur les fonds publics du FAS [1]. En décembre 1995 je participais à un colloque sur l'immigration organisé par le journal *Le Monde* à Pessac. Des militants de la FASTI (Fédération des associations de travailleurs immigrés) qui se plaignaient des lois Pasqua demandaient dans le même mouvement que leurs subventions gouvernementales ne soient pas diminuées.

Ces militants prétendent ne vouloir connaître que les droits de l'individu. Il est en effet très facile de se soucier seulement des cas individuels ; presque tous les cas individuels sont dignes d'estime.

1. Fonds d'action sociale pour les immigrés.

Exalter, sans aucune distance critique, les droits de l'individu, tel est bien le propos des nouvelles « dames patronnesses », Jacques Gaillot, les professeurs Jacquard et Schwartzenberg, Emmanuelle Béart, etc. Mais à n'écouter que son cœur, on peut ruiner la cité. Si la charité est illimitée (la leur l'est d'autant plus que les mieux « starisés » d'entre eux n'habitent évidemment pas dans les quartiers où débarquent les immigrés irréguliers), la cité a forcément des limites.

Je prends comme parabole le célèbre tableau du *Radeau de la Méduse*. Admettre sur ce refuge le naufragé de trop qui fera sombrer le radeau, est-ce une action pertinente ? Le dernier secouru ne s'en tirera pas davantage, et tous les autres périront. Impossible de faire l'impasse sur la raison d'Etat, qui est précisément d'empêcher le naufrage du radeau. A l'inverse, l'Etat ne doit pas oublier les droits de la personne. S'il le fait, il devient totalitaire. Mais il faut absolument tenir les deux bouts de la chaîne.

Avoir le souci du cas individuel, sans oublier le bien commun ; avoir le souci du bien commun, sans négliger l'individu. Il existe entre ces deux exigences contraires une tension irréductible.

Le tort des « belles âmes » est de ne point le voir. Elles sont « angéliques ». L'angélisme, c'est vouloir être bon sans tenir compte de la réalité. Mauriac comparait ces belles âmes à de gentils chauffards, écrasant un pensionnat, pour se rendre plus vite à un congrès sur l'enfance malheureuse. Elles n'ont pas changé, sauf qu'elles prennent aujourd'hui la pose devant les caméras de la télévision. Ces militants ne peuvent imaginer que l'excès des flux migratoires irréguliers accroîtrait les misères mêmes qu'ils dénoncent. Car l'immigration a ses rythmes : régulière et à rythme mesuré, elle est une rivière qui enrichit le fleuve national ; irrégulière et torrentielle, elle emporte tout. Les simples citoyens en ont parfaitement conscience, lesquels, selon un sondage Ipsos-*Le Monde* approuvent fermement, à plus de soixante-huit pour cent la loi Pasqua. Pour ces militants, au contraire, toute « gestion des flux » ne peut être que « raciste ». Pierre-André Taguieff a démontré dans son livre *Les Fins de l'antiracisme*[1] que leur attitude est destructrice d'un modèle français d'immigration régulière qui fonctionnait.

Ces militants généreux sont emplis d'une mauvaise conscience tiers-mondiste qui charge le « Blanc » de tous les péchés ; mauvaise conscience décrite avec ironie (ironie justifiée) par Pascal Bruckner dans son essai fameux sur *Le Sanglot de l'homme blanc*[2]. Publié en 1983, ce livre n'a rien perdu de son actualité.

On peut porter bien des jugements sur le fait colonial. Mais depuis trente ans la vague impériale française a reflué. Nous gardons des devoirs et des droits envers nos anciennes colonies. Elles sont maintenant indépendantes et doivent en assumer les responsabilités, en particulier celles de se conformer au droit de l'immigration pour leurs ressortissants en France.

On constate aussi chez ces militants une peur

1. Michalon, 1995.
2. Le Seuil, 1983.

panique devant la force, toute force étant assimilée à du fascisme.

Ceux mêmes qui se déclarent (il y en a) opposés à l'immigration clandestine poussent des hurlements à chaque expulsion de clandestin. Pourtant, nous avons durement appris que c'est au contraire au moment où les démocraties renoncent à l'usage légal de la force qu'elles sont mûres pour succomber aux fascistes qui en feront un usage illégal.

La télévision est trompeuse. L'image nous trouble.

Un gendarme (ou un policier) républicain qui fait légalement, et avec le moins de violence possible, évacuer une église (et comment casser une porte barricadée contre la loi sans hache ou mandrin ?) ressemble à s'y méprendre, en image, au policier d'une dictature. Les belles âmes expriment alors « leur honte [1] ». Mais, à ce compte-là, comment deviner par l'image (extraite de son contexte), par l'image brute, si l'homme qu'on voit tirer est un résistant ou bien un oppresseur ?

Cette répulsion devant l'« image » de la force légitime, me renvoie aux cris d'Emmanuel Mounier, quand il se demandait, à la suite de Nietzsche, « si le christianisme a dévirilisé l'homme » : « Ces âmes dégingandées, ces peseurs de vertus, ces froussards qui font la leçon, ces héros lymphatiques, ces sacs de syllogismes... » sont en effet les héritiers d'un christianisme dévitalisé et laïcisé, réduit et contrefait, par la célèbre formule « Tout le monde il est beau, tout le monde il est gentil », ou plutôt non, pas tout le monde, les

1. Laure Adler, Le Cercle de minuit, France 2, 23 septembre 1996.

« étrangers » évidemment ; les « Français » étant d'emblée soupçonnés de tous les vices. Racisme retourné !

Cette bondieuserie athée explique sans l'excuser la fascination de certains chrétiens, catholiques ou protestants, pour ce genre d'action. Jésus n'était pas angélique qui a dit : « Soyez candides comme les colombes, et rusés comme les serpents », ce qui signifie que la bonté ne dispense pas de l'intelligence ; la Cimade [1], fervente de Bible, devrait s'en souvenir ! Quand je vivais au milieu des loubards, du même quartier précisément, je les aidais, je les aimais, mais jamais je ne leur ai dit qu'ils avaient *le droit* d'être hors la loi. Le tort de ces bien-pensants est de réagir à l'émotion, à l'émotion pure, sans raisonnement : déploiement de bonne conscience, avalanche de bons sentiments.

Comment réfléchir devant l'image d'un charmant bambin africain ? Parfois la générosité peut s'allier à ce que Sartre appelait la « mauvaise foi ». Je connais un jeune homme qui dormait à Saint-Bernard avec les Africains, pour leur faire de son corps un rempart. Le même, l'année précédente, m'avait demandé d'user de ma position Place Beauvau pour faire expulser les ouvriers d'un atelier de confection « dont le bruit gênait sa mère ». (Après vérification, tous ces travailleurs étaient réguliers, et l'atelier aussi.) Mais comment ces deux démarches sont-elles possibles dans la même

1. Organisation caritative protestante qui a le monopole de la présence dans les centres de rétention pour immigrés irréguliers.

tête? Apparemment ce jeune militant n'y voyait pas malice.

Je ne dis pas que le gouvernement ait été particulièrement habile dans la gestion de ce conflit. Il fallait aller plus vite; ne pas laisser pourrir la situation (telle était mon opinion – je n'ai pas été écouté, sort habituel des conseillers). Il fallait être à la fois sévère et souple : expulser immédiatement en charter le tiers des occupants, quitte à en régulariser discrètement les deux tiers. La sévérité permet l'humanité. Mais les militants associatifs n'ont rien arrangé avec leur jusqu'auboutisme. De plus ils mélangent tout : les droits de l'homme et le droit d'asile, l'asile politique et l'asile économique, les CRS et les SS, l'église Saint-Bernard et le Vel d'Hiv, la reconduite à la frontière et le fascisme. On put lire des éditoriaux inouïs. Je ne parle même pas de Vichy ou de Vel d'Hiv, comparaisons trop communes, mais d'un parallèle remarqué entre l'église Saint-Bernard et l'affaire Dreyfus, qui dénotait chez son auteur une absence totale de pertinence historique!

L'inondation de bénévolence paralysa jusqu'à la majorité gouvernementale. Cet événement marque l'irruption en force du « politiquement correct » à l'américaine, en France.

On pourrait en rire, si cette comédie n'était pas révélatrice de la perte totale du moindre sentiment des droits de la cité, chez les plus généreux et les moins cyniques de ses citoyens!

La République est bien malade quand elle ne trouve plus personne pour expliquer que toutes les démocraties du monde ont des politiques de l'immigration – et que celle de la France est l'une des plus libérales ; que toute loi suppose sanction ; que le refus de la répression légale ouvre la voie à la barbarie des milices illégales. L'affaire de Saint-Bernard est une saisissante illustration de la crise profonde de notre civisme. Tout au long, Le Pen a dû s'en frotter les mains !

2 – Les « ratés » de la machine à intégrer

La gestion des flux est affaire seulement de volonté politique.

Les « ratés » de la machine à intégrer sont au contraire un problème beaucoup plus central de notre société.

Les nations voisines étaient des terres d'« émigration » et non d'« immigration ». Anglais, Allemands, Italiens, Espagnols, Portugais allaient s'installer en dehors de chez eux. Si aujourd'hui, tous les pays européens sont devenus des pays d'immigration, logés à la même enseigne que la France, il n'en était pas de même hier. La culture de nos voisins est une culture de départ (l'oncle d'Amérique), pas d'accueil. A l'opposé, au XXe siècle, la France a été avec les Etats-Unis la grande nation d'immigration. Une enquête de l'INED [1] nous apprend qu'en plus des quatre millions

1. *Mobilité géographique et insertion sociale*, INED, 1995, enquête dirigée par Mme Tribalat.

d'étrangers recensés sur notre territoire, dix millions de citoyens français ont des origines étrangères (au moins un grand-parent, souvent deux, parfois les quatre). A titre de comparaison, on compte cent mille Allemands ou Italiens dans ce cas (si l'on excepte des *Volksdeutsche* allemands rapatriés de l'Est, un peu comme si les Québécois rentraient chez nous). L'immigration est donc (était) un problème cent fois plus important en France qu'en Allemagne.

J'ai déjà montré comment la France en usa avec les arrivants (une Savoie démographique tous les vingt ans). Elle fit avec les immigrés exactement ce qu'elle avait fait avec Bretons et Savoyards ; elle les francisa. Les gens gardaient à titre privé leurs coutumes (le couscous est devenu un plat national) et leurs religions, mais pour le reste, ils devenaient des citoyens français standard, et récitaient à l'école « Nos ancêtres les Gaulois ». Quand il y eut difficulté avec une religion, ce fut avec le catholicisme, religion non pas « nationale » (on a dit que la France est laïque depuis longtemps) mais incontestablement « historique », c'est-à-dire liée aux origines de la nation, à son paysage.

L'ambiance de cet affrontement était très différente de ce qu'on peut voir aujourd'hui. En 1905, au moment des luttes de la loi de Séparation, une « religion forte » (j'emploie les adjectifs « fort » ou « faible », je le rappelle, avec le sens qu'ils ont en physique nucléaire), l'Eglise catholique, s'affrontait à une forte République. En 1997, ne subsiste en France qu'une seule religion forte, et c'est l'islam. Or, cette religion, d'implantation assez récente chez nous par ailleurs, n'a plus affaire comme le catholicisme de 1905 avec un Etat puissant, mais avec une République « faible ».

Cependant, l'assimilation des arrivants de toutes origines continue par habitude, y compris celle des gens d'origine musulmane. L'enquête de l'INED le démontre : la plupart des enfants nés en France de parents maghrébins ne parlent que le français. Leur pratique religieuse est tout à fait semblable à celle des enfants autochtones, c'est-à-dire faible. La fécondité des jeunes femmes, semblable, etc. Mais il est impossible de nier par ailleurs qu'existent des éléments nouveaux. D'abord l'accent, le langage, très marqués par le franco-algérien. Quand je vivais au milieu des loubards, beaucoup étaient déjà d'origine étrangère et maghrébine, mais tous parlaient l'argot avec l'accent parigot, langue infiniment plus riche et en continuité avec le passé populaire indigène que le pauvre langage du rap. Je faisais rédiger aux garçons un journal qu'ils se distribuaient entre eux, *Le Voyou libéré*. L'invention linguistique et argotique y était grande. La revue *Esprit* en a publié de substantiels extraits [1]. La prévalence de l'accent « arabe » n'est certes pas un signe d'assimilation. Cette prévalence est si forte que même les Parigots pur jus des banlieues l'adoptent. Il n'y a guère qu'à Marseille où l'accent marseillais triomphe et où les jeunes d'origine algérienne parlent comme des personnages de Pagnol ; bon point pour cette ville.

Mais il y a beaucoup plus grave. Une minorité,

1. *Esprit*, mars 1965.

faible sans doute, mais visible et se comptant par milliers de jeunes est en dissidence par rapport à la nation.

Quand j'étais éducateur de rue dans le XVIIIe arrondissement de Paris, les loubards éprouvaient déjà « la haine ». C'était une haine sociale contre les flics, les bourgeois, les curés qui s'exprimait par le fameux chant *Mort aux vaches, mort aux condés.* Les blousons noirs de ce temps-là avaient tous au cœur, surtout les plus voyous ou les fils d'immigrés, l'amour de la France. Ils se disaient « gaulois ». Je me souviens d'un retour de camp d'hiver. Notre autobus RATP avait fait escale à Chambéry. Il y avait eu une bagarre. Les Savoyards furieux nous entouraient. Juché sur la plate-forme, l'un de mes types, Abdul-Hamid Ben Rabah, surnommé Capone, leur criait : « C'est même pas français depuis cent ans et ça nous fait la leçon ! » (Il avait lu des affiches célébrant le centenaire du rattachement de la Savoie à la France.) Aujourd'hui, pour la première fois chez nous, des adolescents de banlieue se constituent en bandes ethniques, dans certaines on cultive la haine de la France. Et l'on peut voir, parfois, des jeunes nés dans l'Hexagone traiter dans le métro de « sales Français » d'autres jeunes nés comme eux dans le même pays. Des adolescents de chez nous se sont pour ainsi dire « tiers-mondisés ».

La responsabilité de cette dérive communautaire est partagée.

Pourquoi les jeunes issus de l'immigration seraient-ils encore patriotes alors que les enfants des bourgeois ne le sont plus ?

La mode du « droit à la différence » n'est pas morte. Le « politiquement correct » triomphe avec Saint-Bernard. La nation s'est effacée de l'esprit des jeunes Français branchés. La tête de beaucoup de filles et de fils de bourgeois est emplie d'une espèce de bouillie bienveillante, sans frontière, individualiste et niaise. Ce sont les enfants des soixante-huitards. Or, le marxisme envolé, que reste-t-il de 68 (à part la liberté des mœurs qui n'est pas rien) ? Un ramassis de bons sentiments vagues. Mai 68 fut véritablement (on constate toujours ces choses une génération après) et selon le titre d'un livre célèbre *La Défaite de la pensée* [1]. Il en surnage de l'idéologie molle et un antilepénisme, justifiés, mais peu structurés intellectuellement. Les jeunes de milieux plus modestes demeurent assez civiques. (Opposition des gens et des dirigeants sur laquelle nous reviendrons.)

Beaucoup d'intellectuels français restent fascinés par le modèle américain, qui juxtapose des communautés distinctes. Alain Touraine s'y réfère explicitement et prêche « pour une société multiculturelle [2] ». C'est oublier qu'en Amérique existe, au-dessus des communautés, un fort patriotisme, avec drapeau étoilé dans toutes les épiceries et hymne national à l'école. Malgré cela ce modèle fonctionne mal. En Grande-Bretagne, il ne fonctionne pas du tout et produit de l'*apartheid* pur et simple.

Le communautarisme risque de faire éclater notre

1. Alain Finkielkraut, Gallimard, 1987.
2. *Libération*, 8 octobre 1990.

société française. Il met en grand danger l'universalisme assimilateur qui incarne la tradition la plus progressiste de notre nation. On comprend le mécanisme multiculturel. Quand la cité est oubliée, les gens sont tentés de trouver la sécurité dans le sein des grandes *oumma* [1] communautaires. La religion est importante. Elle donne du sens (je suis personnellement croyant). Elle ne doit pas pour autant détruire les fondements de notre République.

Le plus grave, c'est que la République, devenue post-soixante-huitarde, va souvent d'elle-même en direction du communautarisme.

En 1973, une naïve générosité institua dans nos écoles des cours de « langues et cultures d'origine » pour les petits immigrés. L'intention était louable comme celles dont l'enfer est pavé. Des conventions furent passées avec des Etats étrangers. Affluèrent des maîtres d'arabe ou de turc, payés par leurs Etats (et donc échappant à notre contrôle). Ce que nous avons refusé à Mussolini nous l'avons accordé au roi du Maroc ou à la République turque. On en arriva à accepter des cours de Coran à l'école publique. Tout le monde déplore la nocivité de ce système (inspection générale, etc.), cependant, même en 1994, le gouvernement Balladur, avec une majorité de droite, n'osa pas supprimer cette pratique aberrante. Quant à nos tribunaux, ils admettent les effets en France d'une répudiation prononcée au Maroc selon la loi coranique.

Allons-nous régresser à l'époque des Mérovingiens ?

1. Nom arabe de la communauté des croyants musulmans.

En ce temps-là, le droit n'était pas le même pour tous. Le droit romain s'appliquait aux autochtones gallo-romains, le droit germanique (franc, ostrogoth, burgonde) aux arrivants. Allons-nous accepter sur notre sol de régresser vers le statut personnel du droit ? Il faut le craindre.

Toute cette idéologie multiculturelle, qui imprègne aussi bien les belles âmes de Saint-Bernard que nos tribunaux et même nos gouvernants, se trompe sur la nature de l'immigration.

Immigrer n'est pas ce qu'on croit.

Immigrer, ce n'est pas changer de lieu géographique, c'est changer d'Histoire. Le jeune d'origine étrangère né en France, n'a plus comme passé celui de ses parents ; son histoire à lui sera celle de la France, de Jeanne d'Arc à Valmy. Quand on émigre, on choisit pour ses enfants une nouvelle patrie, donc une nouvelle histoire. Acte grave.

Il était une fois un petit juif qui pleurait à Vilna parce qu'on lui jetait des pierres. Sa mère le consola en lui disant : « Ne pleure pas, mon fils ; tu deviendras ambassadeur de France. » Et il le devint (tout au moins consul général). Il devint davantage : deux fois lauréat du prix Goncourt (sous deux noms différents) ; davantage encore « Compagnon de la Libération ». Vous avez reconnu Romain Gary [1]. C'est cela immigrer.

Au contraire, quand on change de lieu en voulant garder son passé national d'avant, ses coutumes, ses lois, on n'immigre pas. On « colonise », au sens anti-

---

1. *La Promesse de l'aube*, Gallimard, 1960.

que du terme. Les Grecs qui fondèrent Marseille ou Nice n'étaient pas des immigrants. Ils amenaient avec eux, à des milliers de kilomètres de la mer Egée, leurs lois et leurs armes; de même les Phéniciens qui fondèrent Carthage.

Je crains que certains arrivants, ou fils d'arrivants, ne soient plus des immigrés, ou fils d'immigrés, mais bel et bien des colonisateurs. Même si le phénomène est encore marginal, limité à certains ghettos, il devient inquiétant. On compte déjà des dizaines de quartiers d'où la République s'est, en quelque sorte, retirée; dans lesquels les jeunes gens qui y sont nés ne se sentent pas français. Comme le décrivent Christian Jelen ou Yves Lacoste [1], on voit se constituer sur le territoire français une mosaïque encore lâche mais menaçante d'espaces communautaires, où l'on ne se sent plus vraiment « en France ».

Pendant la campagne présidentielle de 1995, on a beaucoup parlé de « fracture sociale »; la « fracture » la plus inquiétante est peut-être la « fracture nationale »! On a trop peu réfléchi à la signification de la vie et de la mort de Khaled Kelkal. Ce jeune homme haïssait la France. Il a probablement été mêlé à l'organisation de plusieurs attentats aveugles et meurtriers. Or, il n'était nullement un « exclu ». Selon mes critères d'ancien curé des blousons noirs, Kelkal n'avait aucune des caractéristiques du loubard. Issu d'une famille qui l'aimait, correctement logé, il poussa ses études

1. Christian Jelen, *La France éclatée*, 1996. Yves Lacoste, revue *Hérodote*, printemps 1996.

jusqu'au bac dans un collège puis dans un lycée de bonne réputation. Qu'un tel garçon puisse s'identifier aux délires intégristes, qu'il puisse vibrer aux récits de la *Djihad*[1], est plus qu'inquiétant. Une ou deux générations avant, il aurait été révolutionnaire, mais à l'intérieur de l'histoire de France, dans la tradition de la Commune de Paris ou de l'anarcho-syndicalisme ; et non pas ennemi de la France, au nom d'une patrie arabe et islamique, aussi rêvée qu'agressive.

3 – La « ringardisation » de la nation. Les « immémorants », la conscription

La « ringardisation » de la nation contribue beaucoup aux « ratés » de la machine française. Ce n'est pas seulement dans la tête des khâgneux, concentrés du microcosme parisien, que l'idée de nation est « démonétisée », c'est aussi dans la tête de certains élus.

Dans *Libération*[2], Gérard Delfau, sénateur-maire PS de l'Hérault, après avoir, non sans courage, critiqué la politique européenne « monétariste », se croit obligé d'écrire :

« Je n'ai pas la nostalgie de la nation. » Cela veut dire quoi ? Aimer la nation serait donc un sentiment archaïque que peuvent éprouver les nostalgiques du passé, mais qu'un homme d'avenir, comme le sénateur,

1. Guerre sainte musulmane.
2. 31 août 1996.

ne saurait avouer ! A l'autre bord, Patrick Devedjian, député-maire RPR d'Antony, se croit obligé d'affirmer : « La France est un département de l'Europe. » J'aime beaucoup les départements, dont j'ai appris la liste à l'école communale de mon village (et en particulier le mien, le Loir-et-Cher) mais je n'avais pas l'idée d'assimiler la France à un département, fût-il « européen ». La France est certainement un territoire trop petit pour les ambitions d'un homme politique aussi moderne que le maire d'Antony. On se demande seulement ce qu'il fait dans les rangs d'un parti qui se réclame encore du général de Gaulle !

Que deux élus quinquagénaires, l'un de gauche, l'autre de droite, se sentent obligés de proférer de telles inepties en dit long sur la crise du civisme. Imagine-t-on un Jaurès, socialiste et patriote, patriote parce que socialiste, en train de dire à la tribune de l'Assemblée qu'il n'avait pas « la nostalgie de la nation » ? Imagine-t-on de Gaulle réduire la France à une circonscription ?

Il est vrai que MM. Delfau et Devedjian considèrent certainement ces grands hommes comme de vieilles lunes.

Le philosophe Michel Serres, qui d'ailleurs enseigne surtout aux Etats-Unis, interviewé le 21 janvier 1992 par la rédaction du journal *Le Monde*, conclut son exposé en suppliant les journalistes du célèbre quotidien :

« Si vous pouviez, je ne dis pas tous les jours, ce serait trop demander, mais de temps en temps, dire un peu de bien de la France ! »

Cette humble supplique éclaire plus qu'un long discours la profondeur du discrédit de l'idée de nation chez les gens à la mode.

Slimane Zeghidour se demande judicieusement, dans son livre déjà cité, où les jeunes gens « puiseraient quelque fierté d'être français » dans cette ambiance ? « Fierté », le mot est écrit, par un Français, d'origine algérienne, évidemment. J'ai envie de joindre ma voix à la sienne et de dire aux meneurs d'opinion de notre pays : l'esprit critique, certainement ; l'ouverture et l'antiracisme, mieux encore ; mais, nom d'un chien, la fierté ! « Si le ciel vient à tomber, nous le recevrons sur nos baïonnettes », disaient les soldats de l'An II. Si le ciel vient à tomber, crient leurs descendants, nous lui dirons : « Touche pas à mon pote. »

Les jeunes gens n'ont plus le sentiment d'avoir un avenir à bâtir en commun, puisque l'Europe est leur avenir et que l'Europe de Maastricht est un songe creux. Ils n'ont plus la notion d'un passé commun puisqu'ils n'ont jamais appris l'histoire de la nation.

L'école de Jules Ferry avait enseigné cette histoire-là ; l'école d'aujourd'hui ne le fait plus. « Depuis une trentaine d'années, écrit Jacques Revel, historien auteur d'une *Histoire de France* [1], l'enseignement de l'histoire est devenu une initiation au social, là où il avait été pendant longtemps une pédagogie de la nation. Autrefois l'instituteur (ou le professeur) apportait aux enfants les ressources nécessaires à la construction d'un

1. *Nouvel Observateur*, 12 septembre 1992. *Histoire de la France*, t. 4, Le Seuil, 1993 (avec André Burguière).

sentiment d'identité et d'appartenance lié au long récit de l'histoire de France. La nation apparaissait comme une entité vivante. Nous n'en sommes plus là ; d'où cette impression d'" éclatement ". » On ne saurait mieux dire !

Dans cet enseignement de l'école, il y avait un processus de « mythification », ce qui est le contraire de la « mystification ». Le « droit-de-l'hommisme » est une mystification ; non parce qu'il affirme l'égalité des hommes, mais parce qu'il oublie d'enseigner que l'histoire est tragique et que l'individu a des devoirs envers la cité.

Jeanne d'Arc, la Révolution, sont des mythes, mais fondateurs et bien réels. Jeanne « la bonne Lorraine », chantée par Villon, nous est connue par les minutes de deux procès minutieux, celui de condamnation et celui de réhabilitation. Les notations des robins ne la montrent pas inférieure à sa légende. La Révolution française est une épopée lyrique, mais elle changea le monde : « Quand la Révolution éclata, écrit Chateaubriand [1], les Rois ne la comprirent point. Ils croyaient à l'ancienne tactique militaire, aux négociations de cabinet, et les conscrits de l'an II allaient chasser les grenadiers de Frédéric ; les monarques allaient venir solliciter la paix dans les antichambres de quelques démagogues obscurs, et la terrible opinion révolutionnaire allait dénouer sur les échafauds les intrigues de la vieille Europe. Cette vieille Europe pensait ne combattre que

1. *Mémoires d'outre-tombe.*

la France, elle ne s'apercevait pas qu'un siècle nouveau marchait sur elle. »

Les gens de plus de quarante-cinq ans ont encore de ces souvenirs-là. J'entends souvent les paysans de mon village déclarer : « On a déjà fait la Révolution, on pourrait la refaire », tellement ils ont gardé le sens de la continuité historique. Les moins de quarante ans sont des *immémorants*, sans référence à un passé commun. La mode de l'histoire « thématique », excellente pour des universitaires, est inepte pour des écoliers et collégiens ou lycéens sans repère chronologique. (On est toujours assassiné par ses disciples : Braudel, j'en témoigne, n'a jamais voulu cela.) Le sentiment d'appartenir à une grande communauté historique est étranger à nos jeunes gens.

Au contraire leur passé, leurs « racines », comme on dit aujourd'hui, les divisent. Chez Laure Adler, au Cercle de minuit, deux jeunes Français évoquaient leur histoire ; le premier, un Antillais, parlait de l'Afrique noire, le second, un Beur, de la civilisation « arabo-musulmane ».

Quand on constate que le XVIIe siècle, le plus grand siècle français à mon avis, avec Pascal, Racine et Molière, le siècle « classique », n'est plus enseigné au lycée mais seulement en fin d'année (c'est-à-dire peu ou pas) au collège, on se dit que toute une génération est devenue incapable de lire *Les Trois Mousquetaires.*

La France n'est plus pour eux, le plus souvent, surtout quand ils sont bourgeois, qu'une « expression géographique ». (Encore ne font-ils plus de « géographie » au sens ancien, mais seulement une espèce de science-éco au rabais.) Quant à l' « éducation civique », on n'y apprend guère le civisme mais davantage comment fonctionne un conseil général.

Où donc Khaled Kelkal aurait-il trouvé dans ses études une patrie à aimer?

Autre mode pédagogique inquiétante, celle de l'apprentissage précoce des langues étrangères. C'est à partir de onze-douze ans qu'on peut apprendre avec fruit une langue étrangère. Avant cet âge, on doit apprendre à penser dans sa langue nationale pour structurer son esprit. A partir de cette langue nationale, pour nous le français, on peut aborder les autres idiomes. Plus jeunes, les enfants apprennent très vite, c'est vrai, mais ils oublient aussi vite. Mes enfants ont appris l'arabe quand j'étais conseiller culturel en Algérie, ils en ont tout oublié. L'apprentissage précoce trouble l'acquisition de la langue de base (sauf pour quelques surdoués) sans avancer vraiment l'acquisition des langues étrangères. C'est au collège, au lycée, qu'il faudrait réellement consacrer du temps (beaucoup plus de temps; pourquoi pas une année « enseignée » en langue) à l'apprentissage d'un ou plusieurs langages (et pas seulement l'anglais mais toutes les langues de nos voisins, italien, allemand, espagnol, arabe). A la communale, cet apprentissage est perte d'énergie et d'argent, camouflet aux instituteurs dont la plupart ne savent pas l'anglais. Il est gadget à la mode, avec des manuels au titre mode (par exemple le plus élémentaire s'appelle « CE1 Sans frontière » – nous avons déjà noté que l'expression « sans frontière » traduit une indigence de la pensée).

Il répond cependant à une grande demande sociale de notre bourgeoisie. Je suggère donc au ministre de l'Education d'épargner à nos enfants l'apprentissage du français et de les instruire dès le CP en anglais basique. Ce serait moderne. Cette critique de diverses modes pédagogiques n'est pas une critique de l'école. En France, cette institution reste la seule partout présente en première ligne ; je déplore seulement certaines dérives liées à l'air du temps.

Il y avait aussi une institution de première ligne, l'*armée.* Mais il faut en parler au passé. J'adhère pourtant à la volonté du président Chirac de professionnaliser l'armée française. Avec lui, je constate que le service militaire était de moins en moins militaire (coopération, service en administration ou en entreprise s'étant taillé la part du lion) et de plus en plus inégalitaire ; inégalitaire par les deux bouts : l'armée réformait les jeunes des banlieues ; les jeunes bourgeois se faisaient réformer à coups de « piston ».

J'ai cependant une conviction : l'éducation au courage physique est aussi importante que par exemple l'éducation sexuelle. Eduquer garçons et filles au courage, c'est leur apprendre à pouvoir affronter la violence, en eux et autour d'eux, avec calme et détermination.

Le courage doit faire partie de l'éducation parce que

la violence fait partie, quoi qu'en pensent les angéliques, de la réalité. Il s'agit d' « aguerrir » les filles et les garçons ; expression qui ne renvoie pas à la guerre mais à ce qu'on apprend à la guerre, quand on en est revenu, d'humanité et de force lucide. La lâcheté, la fuite devant la violence, ne sont pas des attitudes respectables. Gandhi lui-même voyait dans le courage la première qualité du citoyen [1].

Il me semble que ce devrait être l'une des fonctions de l'institution militaire d'éduquer les jeunes gens à la violence, de les aguerrir, de les vacciner contre la lâcheté. Il me semble anormal que les jeunes gens ne soient plus frottés aux armes. Mon fils eut besoin, l'an dernier, de prolonger son sursis pour raison d'études. On lui imposa une préparation militaire. Il n'y avait plus de place que chez les paras. Il y alla en rechignant (deux petites semaines, séparées par un week-end de permission), sauta quatre fois, en revint enthousiaste. Dans le Transal qui les emportait se serraient étudiants en mal de sursis et Black-Beurs de banlieue désireux de s'engager chez les paras. La fusion sociale se fit dans le saut. D'ailleurs quand je m'occupais des loubards, je les faisais sauter en parachute (sportif) et sautais avec eux ; ensuite, il n'y avait plus de bagarre pendant trois semaines dans le quartier.

Une rencontre des jeunes gens avec les armes serait donc bénéfique ; courte, elle maintiendrait les cadres militaires professionnels en contact avec la jeunesse de ce pays. Elle serait un puissant mixeur social (à condi-

1. *La Jeune Inde*, Stock, 1972.

tion qu'il n'y ait plus de dispenses, sauf pour les culs-de-jatte), les adjudants-chefs paras seraient plus efficaces que nos « socioculturels ». Certes, cela coûterait cher, mais moins que beaucoup d'actions dérisoires détournées par des associations fugaces. Cela éviterait surtout que les citoyens ne se sentent plus concernés en rien par la défense de la cité. Quelle signification gardera encore le superbe refrain de notre hymne national « Aux armes citoyens », pour des jeunes gens qui n'auront jamais touché une arme de leur vie; et qui, à l'instar des lettrés chinois de l'empire des Ming, n'ont que mépris pour les valeurs de courage.

Au lieu de cette rencontre (un mois suffirait), on leur concocte un « rendez-vous citoyen » d'une petite semaine (qui se réduira vite à la durée des anciens « trois jours »; d'ailleurs le même personnel en sera chargé) dont on nous dit qu'il sera très « interactif », c'est-à-dire à base de baratins. J'ai assez fréquenté les jeunes (prolos ou étudiants); sans le savoir clairement, ils réclament de l'aventure et des héros, et sont saoulés d' « interactivité ».

Le « rendez-vous citoyen » pourrait avoir un autre avantage. On a vu que la loi Méhaignerie a prévu de remplacer la nationalisation automatique à dix-huit ans (sauf en cas de refus de l'intéressé) par un acte volontaire posé entre seize et vingt et un ans. Je reste un ferme partisan du « droit du sol ». Le Premier Consul l'était déjà : « Un jeune étranger né en France, répondait-il à un conseiller d'Etat partisan de la nationalité héréditaire, doit pouvoir devenir facilement français. C'est l'intérêt du fisc, de l'armée, de l'ordre public », raisons peu « humanitaires », mais fortes.

Mais je suis convaincu de l'utilité d'un acte volontaire.

Pour cette déclaration d'intention, ne pourrait-on pas profiter de la véritable période militaire que je préconise? Ne pourrait-on pas l'exiger aussi des jeunes gens autochtones? On remettrait à la fin de cet « appel sous les drapeaux » à tous (y compris aux jeunes filles qu'il est prévu de convoquer aussi après l'an 2000), autochtones ou issus de l'immigration, leur carte nationale d'identité et leur carte d'électeur, solennellement. (Le préfet pourrait consacrer de sa présence ce rendez-vous civique.) Malraux disait [1] : « A qui me demandait ce que pourrait être la devise de la jeunesse française, j'ai répondu : " Courage et Culture ". »

L'école et la conscription ne sont-elles pas nécessaires à la réalisation de cette ambition?

4 – La fausse réponse de l'« ordre moral »

Ainsi la crise du civisme est profonde et générale. Cependant les partisans de l' « ordre moral » donnent une fausse réponse à cette crise-là. L' « ordre moral », c'est confondre la morale privée ou religieuse avec la morale de la République, un « supercommunauta-

1. *Oraisons funèbres*, Gallimard, 1971.

risme » en quelque sorte. Ainsi, Philippe de Villiers et son « combat pour les valeurs ».

Philippe de Villiers fait un assez bon diagnostic de la crise civique, mais il propose comme remède à cette crise de restaurer la morale catholique traditionnelle. Je ne crois pas qu'il faille ainsi mélanger les genres.

Existent une morale catholique, une morale protestante, une morale musulmane, une morale franc-maçonne, toutes respectables dans la mesure où elles ne contredisent pas les lois républicaines.

Mais la France n'est, heureusement, pas encore un pays puritain comme les Etats-Unis (ou en Europe, la Grande-Bretagne) dans lequel il suffit de murmurer qu'un homme politique a eu une maîtresse pour briser sa carrière. Nous gardons un mauvais souvenir de l'« ordre moral » qui régna chez nous après la Commune de Paris jusqu'en 1881 et la victoire électorale des républicains ; période qui nous valut l'érection de la basilique du Sacré-Cœur (laquelle a fini par s'intégrer quand même au paysage parisien).

Les citoyens français sont libres de leurs mœurs et de leur vie privée, comme de leurs idées. Pour cette raison, je suis résolument opposé aux lois d'opinion [1] tendant à interdire aux gens de penser mal ou faux. Tout ce qui chez nous n'est pas interdit, est autorisé.

Le civisme n'a rien à voir avec l'ordre moral. Le civisme vise seulement le bien commun de la nation.

---

1. Ainsi la loi du 13 juillet 1990 qui veut réprimer la négation des crimes contre l'humanité, dite loi Gayssot (du nom du député communiste de Seine-Saint-Denis qui la soutint). L'intention est excellente, mais il s'agit bien de lutter contre une opinion, fût-elle scandaleuse.

L'individu doit à la République l'impôt, selon ses capacités, le service quand on le lui demande, de manière exceptionnelle ou régulière. (C'est pourquoi même la « professionnalisation » des armées prétend conserver, au moins en principe, l'obligation de la conscription, fût-elle réduite à une semaine.)

Le citoyen peut être amené à donner sa vie pour la France, quelles que soient ses mœurs ou ses idées, comme nous le rappelle le poème d'Aragon [1]. On peut lui demander de lutter pour la liberté de la nation. Il reste libre de tout le reste. Les seules valeurs que nous ayons en commun sont les valeurs de la République : « Liberté, Egalité, Fraternité » ; c'est beaucoup, et c'est assez !

---

1. Cité p. 10 : « Celui qui croyait au ciel et celui qui n'y croyait pas. »

CHAPITRE 12

Le retour des « parlements »

Ceux qui gardent quelques souvenirs d'histoire savent que les « parlements » de l'Ancien Régime n'étaient pas des corps d'élus, mais des corps de juges propriétaires de leur office (qui mélangeaient d'ailleurs les justices administrative et judiciaire). Leur fronde contre le roi n'avait rien de démocratique. En réalité, le roi représentait le bien commun, et les parlements qui s'opposaient à lui, seulement des intérêts particuliers (que le marxisme appellerait « de classe »). Encore le souverain pouvait-il les contraindre à la soumission par la procédure du « lit de justice », faculté qu'il a perdue aujourd'hui.

Les juges, il faut avoir le courage de le dire, tiennent leur partie dans la crise du civisme. Quand j'étais éditeur, j'ai publié l'ouvrage collectif du Syndicat de la magistrature, intitulé *Au nom du peuple français*[1]. A

1. Stock, 1974.

l'époque, le syndicat n'était pas le rassemblement de belles âmes agressives qu'il est devenu et ce livre posait de fortes questions sur la justice.

Il y a d'autres organisations de magistrats qui restent très orthodoxes mais le Syndicat de la magistrature, quoique minoritaire, illustre la dérive d'une portion du corps des magistrats, depuis la création de l'Ecole de la magistrature de Bordeaux. « Juger » est un métier difficile, presque impossible.

Paradoxalement, les juges, par certains côtés pourtant « soutiers de la société », sont très coupés de la vie réelle. Quand j'étais « prêtre des blousons noirs », par la force des choses, j'ai pas mal fréquenté juges et policiers. Je me suis rendu compte que les policiers connaissent mieux la réalité que les magistrats. Les flics se méfient de vous, soupçonnant toujours derrière l'honnête homme le délinquant en puissance. Mais une fois qu'ils vous ont accordé leur confiance, vous les découvrez plus humains que les juges. (Combien d'affaires de loubards se sont ainsi soldées par un coup de pied au cul, sans suite.) Les flics savent ce qu'est un taudis. Les juges, au contraire, sont séparés de la réalité par une espèce de vitre, liée à la nature de leur fonction. Dans sa fonction, le magistrat doit plus que personne tenir les deux bouts de la chaîne, le souci de l'individu et le soin de l'Etat qu'il représente en majesté (majesté « symbolique », car il faut dire que, peu gâtés par l'Etat, les juges travaillent souvent dans des conditions matérielles précaires).

Longtemps ils ont eu le sens de l'Etat. La majorité

d'entre eux garde cet idéal. Mais pour la minorité, genre « Syndicat de la magistrature », Mai 68 a changé tout cela; et aussi la mode anglo-saxonne qui idolâtre l' « Etat de droit », et se méfie de l' « Etat » tout court.

Aujourd'hui, certains juges donnent systématiquement tort à l'Etat.

Dans l'affaire des « sans-papiers » de Saint-Bernard par exemple, les juges ont remis en liberté la plupart des irréguliers qui leur étaient présentés. Je veux bien croire que la préfecture de Police avait monté quelques dossiers discutables sur le plan du droit, mais non pas les neuf dixièmes!

A ce sujet, l'intervention obligatoire, au bout de 24 ou 48 heures, du juge judiciaire pour décider la mise en centre de rétention des immigrés irréguliers en vue d'expulsion, pose problème. C'est une tradition de droit français, certes, et elle ne présentait guère d'inconvénients quand le sens de l'Etat prévalait. Aujourd'hui, la procédure de reconduite des irréguliers devrait être, comme chez la plupart de nos voisins, une procédure administrative, avec le seul recours du juge administratif. En effet, le comportement de certains magistrats explique à lui seul la difficulté qu'il y a à reconduire réellement à la frontière des irréguliers. Notons que ces magistrats angéliques ne se soucient nullement de savoir ce que deviennent ces irréguliers qu'ils rejettent dans la nature. Ils en font des « clandestins officiels » promis à toutes les dérives, mais ils n'en ont cure : sans compter le discrédit des lois. « Tant de bruit pour si peu d'expulsions », disait avec raison le porte-parole des « sans-papiers », certains juges ne craignant plus de ridiculiser la République ; et pas seulement dans le secteur de l'immigration.

On a pu voir récemment des magistrats remettre en liberté de gros trafiquants de drogue dure, sous prétexte que les douaniers qui les avaient arrêtés avaient « infiltré » les réseaux de contrebande de manière illégale (au péril de leur vie ; je parle de la vie des douaniers). On a pu voir à Belfort, chez Jean-Pierre Chevènement, une dame juge jeter en prison un président de conseil général, avant de partir elle-même en week-end. Le règne des *lawyers*, des hommes de loi, juges et avocats (des robins, dirions-nous en français), paralyse la société américaine où la plus petite décision est susceptible d'être attaquée en justice. Ce règne engloutit des milliards de dollars, et chaque Américain doit recruter des avocats pour la moindre de ses actions. Est-ce cela, l'Etat de droit ?

Cette mode avantage évidemment les riches qui ont de quoi se payer les meilleurs défenseurs. Notons qu'elle a sa logique : là-bas, la plupart des juges sont élus et bénéficient d'une forte légitimité.

Ce n'est pas notre tradition. Chez nous, il y a un pouvoir législatif, un pouvoir exécutif, mais il n'y a pas de pouvoir judiciaire : les juges ne sont pas chargés de faire la loi ; ils doivent au contraire l'appliquer. La justice est probablement la première fonction de l'Etat (Saint Louis sous son chêne) ; quand des magistrats perdent le sens de l'Etat, ils perdent leur raison d'être.

Cette « fronde parlementaire » n'est pas le seul fait

des tribunaux judiciaires. Elle a gagné certains tribunaux administratifs. Elle gagne par moments, nous l'avons dit, le Conseil d'Etat lui-même.

Le Conseil constitutionnel n'y échappe pas. Légalement, ce conseil a pour seule fonction de vérifier la conformité des lois votées par les Assemblées, avec la Constitution. En se référant souvent à de vagues « préambules généraux », il s'est parfois laissé aller à renouer avec la tradition du « droit de veto » à la Louis XVI. Mais Louis XVI était un souverain légitime. Composé de hauts dignitaires désignés, le Conseil constitutionnel ne saurait outrepasser légitimement ses droits. Il est vrai que s'il a le pas sur le pouvoir législatif, il reste soumis au pouvoir constituant, le peuple en référendum, ou le Parlement, les deux chambres réunies à Versailles en congrès [1].

Au contraire, le Parlement, depuis la nouvelle jurisprudence du Conseil d'Etat, est impuissant à contrer les directives européennes.

Tout cela pour dire qu'une fâcheuse tentation taraude nos dirigeants : celle de donner à des oligarchies non élues le pas sur les députés ou sur le pouvoir exécutif.

Par exemple, je ne comprends pas que le président de l'Assemblée nationale supporte l'existence d'une « commission nationale des droits de l'homme ». Pour moi, la seule commission des droits de l'homme qui

---

1. Ce que Charles Pasqua, alors ministre de l'Intérieur, a prouvé le 19 novembre 1993 en faisant rétablir par le congrès une disposition de sa loi sur l'immigration censurée par le Conseil constitutionnel.

vaille, c'est la commission des lois de l'Assemblée (ou du Sénat).

Les « comités Théodule » (*dixit* de Gaulle) ne sont rien d'autre qu'un vieux rêve de gouvernement oligarchique d'où le peuple est exclu. Par ailleurs, l' « Etat de droit » ne saurait exister si l'on méconnaît les « droits de l'Etat » et le suffrage universel.

CHAPITRE 13

La crise démographique

La crise démographique, aussi, est grave. Bien sûr, cela est nié, la plupart de nos dirigeants étant profondément malthusiens. Hervé Le Bras [1] assimile toutes les politiques familiales à des politiques « pétainistes ». Je lui rappellerai que le Code de la famille fut voté par la Chambre du Front populaire et que la politique de la famille fut l'un des grands choix de la Résistance. Pétain a parlé de la famille mais il n'eut jamais aucun enfant. Selon Le Bras, souhaiter des naissances en France serait être hostile à l'immigration. Mon opinion est très exactement contraire. Ce sont les enfants nés en France qui intègrent les enfants étrangers dans les quartiers et à l'école. Lorsqu'il n'y a plus assez d'enfants autochtones dans une cité ou un quartier, l'assimilation ne se fait plus ; c'est un constat d'évidence que seuls les « angéliques » s'obstinent à nier. De plus, les adultes

1. *Marianne et les lapins*, Orban, 1991.

qui ont des enfants sont, l'expérience le prouve, plus accueillants et plus ouverts envers les étrangers. Si nous avions davantage d'enfants nous serions moins stressés par l'immigration. L'expérience historique de la France confirme ces affirmations. Pendant les « trente glorieuses », la France eut à la fois une forte natalité et une forte immigration. Pour que la France puisse digérer l'inévitable ouverture à l'immigration, il lui faut une natalité raisonnable. Contrairement aux poncifs d'Hervé Le Bras, on peut aimer en même temps les enfants et les étrangers. Je dirais même plus : aimer les enfants aide à accueillir les étrangers.

En réalité, Hervé Le Bras est contaminé par les idées anglo-saxonnes selon lesquelles l'Etat n'a pas à se soucier de la chambre à coucher du citoyen. Certes, je réprouve l' « ordre moral », mais si faire un enfant est d'abord l'acte intime d'un couple, cela a des répercussions sociales.

Imaginons que toutes les femmes de France décident de ne plus faire d'enfants, ou bien au contraire d'en faire chacune dix; de l'accumulation de ces libres décisions individuelles découleraient de difficiles problèmes collectifs pour l'Etat.

L'Etat a le devoir de se préoccuper des flux, ceux de natalité comme ceux d'immigration. Il n'est nullement nécessaire aujourd'hui d'être « nataliste », c'est-à-dire de vouloir une population toujours plus nombreuse (quoique le nombre ne soit pas un facteur négligeable : la France de la Révolution était le pays le plus peuplé des grandes nations d'Europe; celle de 1940, le moins peuplé). Mais on ne dit jamais que la « croissance zéro » elle-même suppose le remplacement des générations ; soit, dans un contexte de médecine moderne comme le nôtre, un « indice de fécondité » et une « descendance finale » de deux, virgule un, enfants par femme. Sans remplacement des générations, il devient impossible d'assurer un bon équilibre social. Trop d'enfants et de jeunes gens, pas assez d'adultes et de vieux, comme en Algérie, c'est intenable à court terme ; mais trop de vieux et pas assez de jeunes comme en Allemagne, c'est également une situation ingérable.

Il faut souligner que le malthusianisme n'est que l'expression démographique du libéralisme économique dans lequel le bien de l'individu devient le bien absolu. Or le bien individuel, en démographie comme ailleurs, peut aboutir à l'effondrement social.

Le fameux slogan des *yuppies* américains *DINK* (*double income no kids*, « double revenu pas d'enfants ») conduit à la disparition rapide de la société américaine. L'immigration ne peut suppléer les naissances autochtones (alors il ne s'agit plus d' « immigration », mais de « substitution de population »). Les vagues étrangères ne s'intègrent qu'à un rythme séculaire. Ce slogan rend donc impossibles l'assimilation, mais tout aussi bien la transmission entre générations autochtones de l'héritage culturel, et même du capital financier. Il est fou que l'on puisse évoquer en France la crise du système de retraite, sans jamais rappeler que cette crise deviendrait irrémédiable (que le système fonctionne par répartition ou par capitalisation) en l'absence d'une natalité suffisante. Sans hommes, pas de capital; sans enfants pas de retraites; l'équation posée par Alfred Sauvy est incontournable.

Aucune société, dans aucun système concevable, ne peut se dispenser de remplacer les générations. Depuis vingt ans, les générations françaises ne sont plus remplacées. Certes, il naît encore chez nous plus de bébés qu'il n'y a de cercueils. Cela est seulement dû à ce qu'on appelle l'« inertie démographique positive ». Ce sont les classes creuses qui meurent aujourd'hui, alors que ce sont les classes nombreuses qui font des enfants (pas assez pour se remplacer). Mais on ne compte que les cinq cent mille décès annuels des gens nés au début de ce siècle. Quand les classes nombreuses arriveront vers 2020 à l'âge statistique de leur mort, il est facile de conclure qu'il y aura alors (la démographie est la seule science humaine exacte) huit cent cinquante mille décès par an, l'excédent des cercueils sur les berceaux devenant brusquement visible. D'autant qu'on peut craindre que le nombre des naissances ne continue de baisser; tout semble aller dans ce sens, l'individualisme, les idéologies, etc. Depuis l'élection du président Giscard d'Estaing en 1974, il n'y a plus de politique de la natalité en France.

La dénatalité est confortable à ses débuts : moins de dépenses, moins de soucis, douce euthanasie. Les enfants qui ne sont pas nés ne posent aucun problème, sauf évidemment celui de diminuer fortement la consommation des ménages et donc de contribuer à la régression économique. Il est même probable qu'une part de la crise des vieilles nations européennes vient de là. Jamais en France la partie du PNB consacrée aux enfants n'a été aussi faible. Partout on ferme des écoles pour ouvrir des maisons de retraite. Pourtant le malthusianisme triomphe. Périodiquement la tentation revient d'envoyer promener, sous prétexte d'égalité, les dernières mesures fiscalement fortes d'incitation à la natalité, comme le « quotient familial », que Bercy voit d'un mauvais œil.

En vain Sauvy expliquait qu'il ne faut pas mélanger (comme le font nos excellences de droite ou de gauche) la politique de natalité avec une politique de redistribution sociale. La politique sociale a pour but de corriger les inégalités de revenus entre riches et pauvres. La politique de natalité veut que les mères ou pères de famille ne soient pas trop défavorisés, par rapport aux célibataires de même revenu qu'eux. Allez faire comprendre cela à un inspecteur des finances! Historiquement les politiques de monnaie forte ont toujours été liées à des natalités faibles : la France de 1900, le Japon de 1970.

La France de 1945 avait bâti une politique de natalité forte, abandonnée en 1974. Les autres pays d'Europe ne sont pas en reste de malthusianisme. L'Allemagne, parce qu'Hitler était nataliste, ne veut pas voir qu'elle devient un pays de vieillards ; l'Espagne et l'Italie, qui faisaient beaucoup d'enfants il y a encore vingt ans, n'ont pas pris conscience qu'elles ont la natalité la plus basse du monde. Au nom même de l'Europe, la politique familiale est de plus en plus contestée. Pourtant dans l'Union, un pays mène depuis dix ans une forte politique de natalité : la Suède, très déprimée démographiquement jadis, a réussi à revenir, certaines années, au remplacement des générations. Cela prouve l'efficacité des politiques d'Etat en ce domaine. Nous savons qu'elles modifient l'indice de fécondité de façon sensible. Il faut donc réinventer pour la France une politique des naissances. Celle de 1945 a été bonne ; elle a donné au pays trente années de forte croissance. Mais les mœurs ont changé. En 45, la plupart des femmes restaient au foyer ; aujourd'hui elles travaillent et sont aussi maîtresses de leur fécondité (qu'on me comprenne bien : je suis partisan de la contraception et de l'avortement).

Pour favoriser la venue des enfants, il suffirait d'intégrer les grossesses dans la carrière féminine. C'est possible. La Suède vient de le faire. Jadis les patrons avaient intégré le service militaire dans la carrière masculine.

Une femme ne devrait pas être pénalisée, au contraire, par le fait de mettre au monde les deux ou trois enfants nécessaires. Discutons-en avec les entrepreneurs, les syndicats, les associations. Tenons compte des formes nouvelles de cohabitation. Mais favorisons les naissances.

Faut-il ne parler des enfants aux jeunes gens qu'à propos des moyens d'éviter d'en avoir ? Pourquoi, en même temps qu'on leur vante, à juste titre, l'usage des préservatifs, ne pas donner aux jeunes gens le goût de se perpétuer dans une descendance, le goût de la vie ?

On peut faire des économies sur tout, sauf sur les enfants à venir.

Le président Chirac, l'un des rares natalistes avérés de la classe politique, le comprendra-t-il ? Pourquoi renoncer à la durée ? Pour conquérir l'espace, l'homme n'a besoin que de courage et de technique ; pour conquérir le temps, il n'a que ses enfants. Il en va de même de la nation. Sans enfants en nombre suffisant, la France ne serait plus, selon la parole du général de Gaulle quand il créa l'INED en 1945, qu'une « grande lumière qui s'éteint ».

CHAPITRE 14

Les gens et les dirigeants

La crise du civisme est encore aggravée par la distance qui sépare, en France, aujourd'hui, les gens et les dirigeants – et j'aime qu'on puisse lire dans ces expressions une espèce de jeu de mots à la Lacan.

Avant 1968, les jeunes bourgeois français, futurs dirigeants, idéalisaient les gens sous la figure du prolétaire qui tendait vers les lendemains qui chantent sa faucille et son marteau. Las, les prolétaires n'ont pas adhéré à la révolution culturelle de mai. Pis, les « forteresses ouvrières », à Billancourt et ailleurs, se fermèrent devant les gauchistes, trotskistes, maos, etc. Quelques années plus tard, dégrisés, pour certains devenus des notables, ces dirigeants en ont gardé, qu'ils soient de gauche ou de droite, et très inconsciemment, le mépris du peuple.

Le surgissement dans la bande dessinée de l'image du « beauf » traduit ce mépris paternaliste. Car pour la gauche caviar du Luberon, comme pour la droite saumon de Normandie, le « beauf », c'est évidemment l'ouvrier, l'employé ou le paysan « français », le « politiquement correct » leur interdisant absolument d'imaginer des beaufs africains, maghrébins ou néo-zélandais. L'adjectif « franchouillard » illustre cette attitude.

Le peuple peut approuver à soixante-huit pour cent la loi Pasqua sur l'immigration ; le peuple a tort et le microcosme (comme dirait Raymond Barre), raison. L'accusation de « populisme » vous casse une réputation. Cette rupture entre gens et dirigeants est donc post-soixante-huitarde. Par ailleurs, cette rupture est aggravée et solidifiée par la panne, partout dénoncée mais peu combattue, de l' « ascenseur social ». Le chômage n'est pas seul en cause. Au début du siècle, la promotion républicaine « au mérite » fonctionnait. Les instituteurs repéraient dans leur classe les bons éléments, les poussaient vers les cours complémentaires et les écoles normales.

Aujourd'hui, la plupart des énarques sont des enfants de bourgeois. D'ailleurs la République a perdu beaucoup en passant de la rue d'Ulm à l'ENA. Il faut rappeler cependant que l'ENA est une école « d'administration », et non une école « de gouvernement ». Gouverner ne s'apprend pas à l'école. On va à l'ENA pour obéir, non pour commander. Evidemment certains énarques peuvent devenir de bons politiques (comme certains militaires – pour la gent militaire ce fut un par siècle : au XIXe Bonaparte, au XXe de Gaulle), c'est rare. L' « Enarchie », expression créée par des connaisseurs [1], mène le plus souvent à l'aboulie.

La France moderne repose sur quatre fondements. Les institutions créées par le Premier Consul entre 1799 et 1804 (Conseil d'Etat, Cour des comptes, préfectures, Code civil); la République voulue par les « Jules » à partir de 1881 (Quatorze Juillet, Marianne, école, Séparation de l'Eglise et de l'Etat); les réformes imposées par de Gaulle entre août 1944 et janvier 1946, alors qu'il présidait le seul véritable « front populaire » qui ait jamais gouverné le pays (dans celui de 36, les communistes n'étaient pas au gouvernement), les fameuses « ordonnances » de 1945 (Sécurité sociale, EDF, CNRS, Plan); et enfin, la Constitution de 1958.

Si la Constitution rencontre toujours l'adhésion (encore qu'elle soit menacée par Maastricht), les autres fondements sont aujourd'hui menacés.

Trois usures se révèlent en même temps et s'additionnent. Une usure séculaire, celle des institutions du Premier Consul; une usure centenaire, celle de la République des Jules (Jules Ferry, Jules Favre, Léon Gambetta); une usure cinquantenaire, celle du programme de la Libération. Or, cette conjonction d'usures laisse, à quelques exceptions près, la classe politique inerte. Et pourtant, ces institutions ont fonctionné, deux cents ans, un siècle, cinquante ans, à la satisfaction générale. Il est possible de les revitaliser ou d'en inventer d'autres, et rapidement. Bonaparte, les

1. Mandrin (J.-P. Chevènement, Didier Motchane), *L'Enarchie*, La Table ronde, 1967.

Jules, de Gaulle, ont réformé en quelques mois parce qu'ils savaient ce qu'ils voulaient ; le premier appliquait le programme de l'*Encyclopédie*; les seconds celui des républicains du Second Empire ; de Gaulle, celui du Conseil national de la Résistance.

Mais nos énarques n'ont pas d'idées, parce qu'ils ne sont pas vraiment des hommes politiques.

Jamais la distance n'a été, depuis 1789, aussi grande entre gouvernants et gouvernés. Comme l'adhésion du peuple a le dernier mot, craignons, ou espérons, pour l'avenir.

CHAPITRE 15

La décentralisation et la corruption

C'est la décentralisation, enfin, qui défait la nation.

Ce fut une fausse bonne idée, inadaptée à la France, à contre-courant de siècles de centralisation capétiens et républicains. Ce qu'il eût fallu, c'est la « déconcentration », c'est-à-dire la délégation aux représentants locaux de l'Etat du maximum des pouvoirs. Au lieu de cela, au rebours d'un travail millénaire, on a recréé les baronnies de la Fronde.

Henri IV détruisait les châteaux et les bastilles ; Richelieu et Mazarin ont écrasé les ligues. François Mitterrand et Defferre, à la satisfaction de la classe dirigeante, ont recréé les féodaux (je sais bien que de Gaulle y songeait aussi, aucun grand homme n'est parfait).

Le préfet est aujourd'hui impuissant devant le président du conseil général ou régional. Et ces barons veulent déjà, en court-circuitant l'Etat, avoir leurs ambassadeurs en Bavière ou en Catalogne, et leur *lob-*

bying à Bruxelles. L' « Europe des régions » est une réalité actuelle de l'Union. Elle porte en germe, nous l'avons vu, la dislocation des nations.

La décentralisation produit aussi la corruption.

Avant Defferre, toutes les dépenses des collectivités locales étaient visées par les préfets – honnêtes par intérêt. En poste ici ou là deux ou trois ans, demain ils savent qu'ils seront nommés ailleurs ; et leur carrière dépend de la Place Beauvau et peu des notables locaux.

Aujourd'hui, les barons régionaux sont maîtres des dépenses. Non seulement les impôts locaux ont explosé mais on a pu constater que certains n'avaient pas résisté à la tentation de s'emplir les poches. Certes, la majorité de la classe politique est honnête, mais la décentralisation a soumis les plus faibles à de grandes tentations ; d'autant plus que les chambres régionales des comptes ne fonctionnaient encore pas. Il y a toujours des corrompus, évidemment, mais avec la décentralisation, on put assister à une explosion de la corruption.

Quant à l'Etat, pris en tenaille entre Bruxelles et les baronnies, entre les « commissaires » et les « féodaux », il défaille et laisse en déshérence l'héritage des rois capétiens ou des jacobins de 93.

Cinquième partie

LA DÉMISSION DES DIRIGEANTS

CHAPITRE 16

L'énergie et le renoncement

Malgré la crise du civisme, l'énergie politique existe encore. Elle ne s'applique plus là où on avait l'habitude de la voir.

A quelques exceptions près, les dirigeants ne songent guère à prendre rang derrière le Premier Consul, Gambetta ou de Gaulle comme réformateurs de la nation. Ils tiennent au contraire un discours fataliste selon lequel « une seule politique est possible ». Ce qui revient à dire que l'action politique est devenue « impossible » ; l'acte politique par excellence étant le choix.

Si, vraiment, une seule décision est possible, il n'y a plus de politique.

Cette « seule politique » n'est autre que la politique de Maastricht.

Application des « critères de convergence », « lutte contre les déficits », « monnaie unique ». S'ils sont fatalistes pour ce qui concerne la politique nationale, en revanche, les dirigeants appliquent la politique de l'« Union » avec une énergie farouche ; preuve que l'énergie politique existe encore ; elle a simplement déserté le champ de la nation. Il y a toujours de la volonté dans la classe politique, une forte volonté ; par malheur cette volonté s'exerce, le plus souvent, dans le sens du renoncement à une politique nationale spécifique. Le président Mitterrand (et la lecture du livre d'Hubert Védrine[1] déjà cité le démontre si l'on cherche quelle est la réalité au-delà des déclarations de bonnes intentions) en était venu à renoncer, de fait, à toute diplomatie propre, l'Europe lui servant d'excuse, et l'« humanitaire » de faux-semblant. Il faut reconnaître que le président Chirac a renoué avec une diplomatie nationale, sans trop se soucier des Etats-Unis et des autres Européens, que ce soit en Bosnie, au Liban, en Irak, en Pologne.

Mais sur le plan intérieur, l'alignement sur les exigences de Maastricht reste total, énergique. Cet alignement est en train de démolir notre économie. Il y a en France trois millions de chômeurs, un million de RMIstes, un million de gens en stages bidon ; cinq millions d'actifs sont ainsi secourus. Or, le chômage est un cancer social. Il rend inopérante toute la politique de la ville (c'est-à-dire des banlieues) ; il désespère les jeunes gens qui craignent, comme ils disent, de devenir « chômistes ». Il déséquilibre le système de solidarité nationale. Les classes moyennes elles-mêmes ne savent plus si leurs enfants trouveront des emplois. Les « plans

1. *Les Mondes de François Mitterrand*, Fayard, 1996.

sociaux », ainsi nommés par antiphrase et dérision, se multiplient. Pour la première fois depuis un siècle, les parents pensent que leurs enfants auront une vie plus dure que la leur. Le niveau de vie est, c'est une évidence, infiniment plus élevé aujourd'hui qu'en 1945 ou qu'en 1881 ; mais à ces époques-là, les parents, tout en se serrant la ceinture, avaient la croyance chevillée au cœur que leurs enfants vivraient mieux qu'eux-mêmes, et ils avaient raison.

Or, il existe réellement une « autre politique » qui ferait baisser massivement le chômage : décrocher le Franc du mark et le laisser filer, repousser *sine die* la monnaie unique sous sa forme actuelle d'une zone mark, avoir, certes, un budget en équilibre mais émettre, comme le fit de Gaulle en 1958, de grands emprunts pour relancer l'activité. En somme, le contraire de la politique malthusienne, aujourd'hui à la mode. Faire une grande politique de natalité : de natalité humaine car, nous l'avons dit, elle est la base de toute croissance ; de natalité industrielle, en permettant la naissance de milliers de petites et moyennes entreprises créatrices d'emploi. Les PME n'embauchent pas vraiment pour des raisons administratives. Les « contrats initiative-emploi », ou autres, ne produisent que des embellies passagères, aux frais du contribuable ; des « effets d'aubaine », comme disent les spécialistes. Les PME embaucheront quand elles pourront vendre, et elles vendront avec la croissance. Le fatalisme politique dit que « la croissance ne se décrète pas », c'est une maxime de résignation ; la croissance s'appelle. En résumé, il faut brancher la nation sur l'expansion qui existe dans le monde, en particulier dans le Sud-Est asiatique, l'Est européen et les Etats-Unis (qui se moquent bien, nous l'avons dit, de « laisser filer » le dollar).

Tout à l'inverse la politique d'économies, de déflation reste à la mode.

Comme les médecins de Molière, les dirigeants (de gauche ou de droite) pourront s'écrier, si « les critères de convergence » sont respectés grâce à leur héroïque détermination, en parlant de la France : « Le malade est mort guéri ! »

Je préfère paraphraser un discours du Gambetta de la défense nationale et dire : non, il n'est pas possible que la « grande nation » accepte le désespoir et la mort sociale qu'implique le chômage (bien qu'Alain Minc nous explique doctement que l'époque du « travail » est terminée) !

« La réduction du temps du travail » est aussi un remède malthusien. Bien sûr, il faut créer de multiples mi-temps ou temps partiels, cela est une modernisation nécessaire ; cela ne crée pas d'emplois ; seule la croissance en crée.

L'actuelle politique de déflation, suivie avec constance depuis la « désinflation compétitive » de Bérégovoy, est semblable à celle du président du Conseil Laval de 1935, dont on connaît les résultats désastreux. En réalité, une légère inflation avantage quatre-vingt-dix-neuf pour cent des citoyens, tous des emprunteurs. La déflation n'avantage que le un pour cent capitaliste. Encore faut-il noter qu'elle tue le marché de l'immobilier. En inflation, l'acheteur préfère acheter aujourd'hui, il se dit : « Demain, ce sera plus cher. » En déflation, il se dit : « Demain, ce sera moins cher », et il attend, d'où le marasme du bâtiment. L'Allemagne, à cause de la réunification, a d'autres objectifs économiques. L'alliance avec la République fédérale est certes indispensable à l'Europe, mais doit rester une alliance, non une sujétion. Ce qui est grave, c'est de constater qu'il n'y a là-dessus aucune alternance partisane. Le Parti socialiste, s'il revenait au pouvoir, ferait exactement la même politique « européiste » d'où vient précisément tout ce mal social qu'il prétend combattre (on se souvient de l'interview de Nicole Notat, secrétaire générale de la CFDT, proposant comme seul remède à « la colère qui gronde »... « la monnaie unique » !).

Martine Aubry, digne fille de son père, est la figure symbolique de cet acharnement maastrichtien. Rien ne sépare plus là-dessus la gauche et la droite, Pierre-André Taguieff le constate [1] :

« La droite conservatrice semble s'être dénationalisée, en même temps que la gauche socialiste s'est dérépublicanisée, converties l'une et l'autre au fatalisme sans visas de la " mondialisation des échanges ", nouveau *fatum* de l'économie financière. »

Les électeurs ont tout à fait conscience de cette convergence profonde que masquent mal les déclarations démagogiques d'une certaine gauche sur les

1. *La République menacée*, Textuel, 1996.

immigrés ; d'où la désaffection croissante du corps électoral pour la politique. En élisant le président Chirac, ils avaient voulu rompre avec le fatalisme. Il n'est peut-être pas trop tard pour leur donner raison ; d'autant plus que des économistes de plus en plus nombreux commencent à se poser des questions.

Ainsi le Prix Nobel d'économie 1996 William Vickrey qui déclara tout uniment, à peine choisi, que le traité de Maastricht était « un désastre ».

CHAPITRE 17

Le poids inconscient du désastre de 40

Un événement explique, à mon avis, cette attitude de la classe dirigeante. J'ai parlé de Mai 68, mais ce ne fut qu'une poussée de fièvre, un symptôme. Il faut remonter à un autre mois de mai pour essayer de comprendre. Cet événement, c'est le désastre de mai 40. Mai 1940 faillit marquer la mort de notre pays.

Il faut ici récuser une légende dont le poids pèse sur l'inconscient de notre peuple, celle de la lâcheté de nos soldats (légende créée par des chefs incapables qui voulaient se disculper). Nos soldats se sont bien battus (plus de cent vingt mille morts en trois semaines) et notre armée était dotée d'un excellent corps de bataille et d'une magnifique marine (que ses amiraux préféreront saborder). Nous avons été vaincus par l'intelligence supérieure du haut commandement allemand, opposé à la profonde bêtise du nôtre. La même chose est arrivée à la Prusse, en 1806, devant Napoléon, le « dieu de la guerre en personne », selon Clausewitz. En

1940, les dieux de la guerre étaient les généraux allemands.

Quoi qu'il en soit, nous avons été écrasés, « ratatinés », même si de Gaulle réussit à sauver l'honneur perdu de Marianne.

Or, les Français, jusqu'en 1940, croyaient appartenir à la première puissance militaire du monde (et d'ailleurs ce n'était pas faux). Ils se croyaient encore la « grande nation » de 1793.

Cet effondrement, en un mois, de l'armée, de l'Etat, des corps constitués, n'a de précédent historique que pendant la guerre de Cent Ans ! Ce fut un désarroi affreux.

Il pèse toujours sur l'inconscient de nos dirigeants et explique, sans l'excuser, leur comportement habituel de renoncement et leurs complexes vis-à-vis de l'Allemagne.

C'était en tout cas le secret du François Mitterrand que j'ai connu à l'Elysée. Il ne croyait plus, depuis le désastre de 40, vécu en sa jeunesse, que la France fût encore une grande puissance, ni même une puissance tout court. En mai 40, il a réagi à l'inverse de De Gaulle, d'où leur très profonde mésentente. Il aimait la France, mais avec la nostalgie qu'on éprouve pour un passé révolu. Pour lui, l'« Europe » excusait, transfigurait et magnifiait le renoncement national.

Nos actuels dirigeants ne sont plus de la même génération. Pour la plupart, ils n'ont pas connu la guerre ; mais ils en gardent la honte cachée. Depuis cette époque, ils développent à l'égard de leur propre pays un masochisme unique parmi les classes dirigeantes des grandes démocraties. Aucun dirigeant britannique n'oserait avouer qu'il éprouve pour sa nation seulement « de la nostalgie ». Il y a donc une névrose derrière le comportement des dirigeants français, névrose jamais vraiment élucidée, ni même diagnostiquée.

Pour la plupart, ils ne songent en fait qu'à être les gestionnaires d'une nation, délivrée d'une Histoire devenue insupportable fardeau. Ils veulent le pouvoir sans la grandeur, et sans le drame. Ils visent à prendre congé d'une épopée « pleine de bruit et de fureur ». Ils oublient que le président de la République française reste, jusqu'à aujourd'hui, le successeur direct de De Gaulle, de Clemenceau, de Bonaparte et de Danton, de Louis XIV et de Philippe Auguste (sans remonter jusqu'à Clovis).

Ce genre de refoulement a forcément des conséquences graves.

Au seul titre de cet essai, beaucoup de lecteurs ont dû se dire : « Il exagère. La France est bien vivante. Elle nous enterrera tous. » Il est vrai que la France est aujourd'hui bien vivante, nous en reparlerons. Mais nous enterrera-t-elle ?

Qu'est-ce qu'une nation pour Michelet ? Un passé célébré en commun ; un projet d'avenir ; un vouloir vivre ensemble.

Le passé est méconnu ou refoulé (histoire « thématique » à l'école). Le projet d'avenir est clairement celui d'une dissolution dans une Europe vague. Qu'en est-il du vouloir vivre ensemble ? Je le crois fort chez les gens, dans le peuple (à l'exception de quelques centaines de ghettos communautaristes) ; mais il est très faible chez les jeunes gens issus de la classe dirigeante, qui ignorent ou trouvent ridicule *La Marseillaise*, sont insensibles au drapeau (leurs pères ont pissé à l'Arc de Triomphe sur la tombe du Soldat inconnu), méprisent le « beauf » autochtone, et ne parlent de ce qui est français que pour s'en moquer. Or, les jeunes bourgeois donnent le ton.

La France est pleine de vie et de force encore, mais tout dépendra de la politique choisie. Cet être complexe et fragile qu'on appelle une nation (et la nôtre est plus complexe et fragile que d'autres, malgré les apparences, parce qu'elle n'est pas fondée sur une ethnie) peut se défaire plus vite qu'il ne s'est construit. Cette tapisserie d'histoire et de sentiments mêlés peut se « détricoter » très rapidement. J'écris, saisi par le sentiment de l'urgence. La nation est bien malade quand le masochisme remplace l'admiration qu'on doit à sa patrie.

CHAPITRE 18

La fausse réponse du Front national

A l'exception d'un certain nombre de gaullistes, du « Mouvement des citoyens » et de quelques jacobins (qu'on trouve aussi bien au RPR, à l'UDF, au PS qu'au PC), un parti politique et un seul, se prétend « national », celui de Jean-Marie Le Pen.

Il est aisé de critiquer Le Pen, et nécessaire.

Jean-Marie Le Pen est raciste. « Evidemment, les races sont inégales », a-t-il répété, reprenant ainsi les thèses les plus éculées de *Mein Kampf.* Scientifiquement pourtant, tous les hommes ont les mêmes possibilités génétiques, statistiquement. En termes vulgaires, le pourcentage d'imbéciles est le même dans toutes les races. D'ailleurs que sont les races ? Notons qu'il est absurde de répondre à Le Pen qu'« elles n'existent pas », c'est nier l'évidence populaire. Les races existent, mais nous sommes tous des *homo sapiens*, de même capacité cérébrale. La seule chose que constatent les anthropologues, en examinant des squelettes, c'est une différence dans la forme des crânes. Il leur est impossible de savoir si ce squelette était recouvert d'une peau noire, jaune ou blanche. Mais ils distinguent nettement, quelles que soient les races, les têtes rondes ou « brachycéphales », des têtes allongées ou « dolichocéphales ». M. Le Pen distingue-t-il parmi les adhérents du FN les brachy des dolichocéphales ?

Pour un nationaliste français, le propos est encore plus idiot. Nous sommes depuis toujours un pays fortement métissé, un vieux fond ibère ou alpin ayant été recouvert par la vague gauloise (gaélique) ; elle-même conquise par des Méditerranéens bruns et latins, avec, au moment des grandes invasions, des apports germains, scandinaves blonds (les Vikings), asiatiques (les Huns), arabes (les Maures) ; sans compter, depuis cent ans, les millions de Français issus de l'immigration, juifs ashkénazes ou séfarades, divers Slaves (Polonais), Italiens, Espagnols, Portugais, Maghrébins ; sans compter nos concitoyens des Antilles. Jean-Marie Le Pen va-t-il donner l'indépendance aux Antilles ou à la Réunion ?

Mais il est une critique plus radicale, rarement faite.

Le Front national est disqualifié dans sa prétention au patriotisme, en sa racine même, par son vichysme originel. Le FN est vichyste. Il reste profondément collabo. Il laisse se développer en son sein et parader dans ses meetings des groupes qui se réclament de l'idéologie nazie. Or, cette idéologie devrait être odieuse à tout patriote français, même d'extrême droite, parce qu'elle fut « assassin » de la patrie. Vichy fut le contraire du patriotisme. Elle eut le masochisme de la défaite et de la servitude. Le pseudo-Etat français (qui ne serait jamais arrivé au pouvoir par les urnes) passait son temps à exalter, sous les bénédictions de l'épiscopat, la « défaite rédemptrice ». Ce vichysme de Le Pen mine tout son discours nationaliste. J'aurais envie de lui répondre ce que Jules Roy [1] répondit un jour à un officier pétainiste : « Le nationalisme, à la rigueur, mais alors, nom de Dieu, la victoire. » D'ailleurs les gens d'extrême droite vraiment patriotes se retrouvèrent chez de Gaulle, au coude à coude avec ceux du Front populaire ; Jean Moulin, à gauche, et d'Estienne d'Orves, à droite, furent des résistants. Vichy parlait de la patrie, mais dans la honte et le mensonge : « Travail, Famille, Patrie », disait Pétain, ce qui lui attira cette réplique féroce de De Gaulle : « Le travail, il n'a jamais vraiment travaillé ; la famille, il n'a jamais eu d'enfant ; la patrie, il l'a livrée aux nazis. » Vichy parlait de la patrie ; mais de Gaulle la lui a arrachée en l'incarnant. Dans l'antigaullisme primaire de Le Pen, il y a un aveu. D'où l'imposture de la récupération de Jeanne d'Arc par le FN. Jeanne, comme l'a souligné l'un des dirigeants de la Ligue communiste, Daniel Bensaïd, lieutenant de Krivine, dans un beau livre [2], comme le sentit aussi Michelet, fut d'abord « une résistante » ; et même, « une résistante issue du peuple ». Elle fut, selon Malraux, l'une des figures les plus pures de l'Histoire :

1. *La Défaite de Diên Biên Phu,* Julliard, 1972.
2. *Jeanne, de guerre lasse,* collection « Au vif du sujet », Gallimard, 1991.

« La seule figure de victoire, qui eut aussi un visage de pitié [1]. »

Qu'on me permette d'affirmer que Jean-Marie Le Pen ressemble davantage à l'évêque Cauchon qu'à l'héroïne qu'il prétend annexer.

Si la critique du FN est nécessaire, elle n'est pas suffisante; l'autocritique de ses opposants serait utile.

L'expérience prouve que cela ne sert pas à grand-chose de dénoncer Le Pen. Plus on le maudit, plus il prospère. D'où le caractère calculé de ses faux dérapages verbaux. Les malédictions sont pour lui comme de l'eau vive sur une plante verte desséchée. Elles le regonflent. Emmanuel Mounier nous a appris qu'« on ne lutte contre les démagogues qu'en leur arrachant les vérités qui les font vivre ».

Réduit à ses cadres de l'extrême droite traditionnelle, le « Front » ne regrouperait pas plus de trois pour cent des électeurs; le score habituel des « ligues » en France (à ne pas confondre avec la trotskiste « Ligue communiste »). Pourquoi des ouvriers communistes, des employés socialistes, et même des électeurs ci-devant gaullistes votent-ils pour lui? Pascal Perrineau, directeur du Centre d'étude de la vie politique à Sciences-po, ne cesse de rappeler que le FN est devenu le premier parti « ouvrier » de France.

D'abord Le Pen frappe de berlue les hommes politiques.

En bon démagogue, il marque son territoire. Dès qu'il parle d'un sujet, les autres politiques ne veulent

---

1. André Malraux, *Oraisons funèbres*, Gallimard.

plus l'aborder « pour ne pas faire le jeu du Front national ». Le leader du Front parle souvent de l'immigration. Tout dirigeant qui prétend en parler aussi est dénoncé comme quasi lepéniste.

Ayant posé en 1991 quelques questions à ce sujet, je me suis vu anathématisé par l'orientaliste Bruno Etienne. « C'est du racisme pur », s'écria le digne spécialiste dans les colonnes de l'hebdomadaire *La Vie*[1].

Ayant recommencé en 1996, je me suis vu insulté cette fois par Sami Naïr, professeur en sciences politiques : « fanatique aveuglement », « pitoyable incompétence », « menteur »[2].

« L'antiracisme des dirigeants, écrit Pierre-André Taguieff[3], s'est radicalisé dans l'imaginaire antilepéniste en récusation de l'Etat-nation, comme idée mauvaise en elle-même et dangereuse. Le dépassement du national, dans une perspective européiste et mondialiste, s'est constitué en évidence absolue, avec comme conséquence, l'abandon de l'Etat-nation. »

Nous y voilà. Le chômage que les hommes politiques parlent à peine de réduire et que la Bourse adore, ne suffit pas à expliquer Le Pen. Il existe aussi ailleurs en Europe, mais les classes dirigeantes allemande, néerlandaise, britannique restent patriotes. Et là-bas les grands partis conservateurs ne laissent au lepénisme local aucun espace électoral.

Les nouveaux bien-pensants français ne se sont

1. *La Vie*, n° 2413, 1991.
2. *Le Monde*, 3 septembre 1996.
3. *La République menacée*, Textuel, 1996.

jamais demandé s'ils n'étaient pas responsables, *eux*, de la prospérité du FN. C'est parce que les dirigeants français, dans leur ensemble (à part de notables exceptions), ne parlent plus de la patrie que les ouvriers et les employés vont vers le seul parti qui leur en parle encore. Et les journalistes accentuent ce phénomène quand ils qualifient les fêtes lepénistes de fêtes « tricolores », comme si le drapeau de la Révolution appartenait à ce réac. Je sais bien que ce sont les expressions même du FN ; mais pourquoi accepter de servir de haut-parleur à sa propagande – si ce n'est parce qu'on lui abandonne volontiers la patrie et ce qu'elle représente ? Les journalistes sont inconsciemment complices, quand ils soulignent sans cesse que dans les manifestations lepénistes on chante *La Marseillaise* ; comme si ce chant n'était pas l'hymne de la libération des opprimés : « Liberté, liberté chérie », y entend-on.

Les jeunes journalistes ne doivent plus en connaître les paroles.

Bien sûr il est essentiel de faire reculer le chômage, mais abandonner la patrie à Le Pen serait lui faire un trop beau cadeau.

Tous les partis politiques démocratiques (y compris le Parti communiste qui n'était guère démocratique mais qui, en France, fut souvent patriote – le Front national, au moment de la Libération, était une organisation de résistance paracommuniste) devraient délaisser pour un temps leur libéralisme européiste et retrouver la nation. A la vérité, s'il y a tant de lepénistes en France (ou du moins d'électeurs qui, en désespoir de cause, votent Le Pen, ce qui n'est pas la même chose), ce n'est pas à cause d'une tare spécifique du peuple français, comme ont tendance à le penser les belles âmes [1], confortées par là dans leur mépris du peuple *beauf*; c'est la faute de ces belles âmes qui ont relégué la nation au magasin des accessoires inutiles. En France, l'importance de l'électorat lepéniste est en effet la conséquence la plus évidente de la démission de nos dirigeants.

1. Ainsi Pierre Martin dans une note de la fondation Saint-Simon (octobre-novembre 96) sur l'électorat FN.

Sixième partie

LE CHOIX DE 2001

CHAPITRE 19

Les forces vives de la France

Malgré les menaces qui pèsent sur son avenir, et les problèmes d'aujourd'hui, la France reste en cette fin du XXe siècle un pays très vivant.

L'Hexagone est, par sa superficie, et de très loin, le plus grand pays d'Europe (presque deux fois l'Italie ou la Grande-Bretagne, davantage que l'Allemagne réunifiée). Il occupe le centre du continent et, en quelque sorte, le centre de l'hémisphère Atlantique-Méditerranée. Il en est le carrefour. La France est riche d'espace. Pour la population, avec ses soixante millions d'habitants (Dom-Tom compris), elle n'est dépassée en Europe que par l'Allemagne. Elle pourrait nourrir et faire vivre largement cent millions de personnes. Sur le plan démographique, et malgré le non-remplacement des générations et le vieillissement, elle est en moins mauvaise posture que ses voisins, la forte natalité des « trente glorieuses » 1945-1974 lui assurant pour dix ans encore une « inertie démographique positive » (dont nous avons décrit plus haut le mécanisme), c'est-à-dire un excédent des naissances sur les décès jusqu'en 2005. Les femmes françaises désirent pratiquement toutes avoir un enfant; au contraire, le tiers des femmes allemandes ou italiennes n'en veulent aucun! Les Françaises auraient facilement les deux ou trois bébés nécessaires au remplacement des générations (au lieu d'un ou deux aujourd'hui) si elles cessaient d'être pénalisées par les grossesses. Par ailleurs, si nous renouions, sans honte, avec notre politique traditionnelle d'assimilation (qui est beaucoup plus que l'intégration), et si nous arrivions à maîtriser les flux irréguliers, l'immigration redeviendrait ce qu'elle fut pendant cent ans, et ce qu'elle est encore majoritairement, une richesse humaine. La création d'un ministère de la Population qui gérerait tous les flux d'arrivants (par Roissy, ou par la maternité) donnerait de la cohérence à cette politique démographique.

Notre position relative n'est plus ce qu'elle fut. Deux siècles durant, aux XVIIe et XVIIIe, la France a été la première puissance de l'univers. Cependant le pays actuel est, en termes réels, beaucoup plus puissant qu'il ne l'était au début de ce siècle, et l'on peut dire qu'il est, ex æquo avec l'Allemagne, la quatrième puissance de la planète, après les Etats-Unis, le Japon et la Russie (ruinée aujourd'hui mais qui se relèvera).

Puissance militaire non négligeable (la force de dissuasion donne à la nation une réelle indépendance stratégique), elle assume encore dans le monde (seule à posséder des bases militaires partout, en Afrique, aux Caraïbes, dans l'océan Indien et le Pacifique), avec les

Etats-Unis, une responsabilité stratégique considérable de grande puissance...

Puissance diplomatique (un réseau diplomatique complet et un siège au Conseil de Sécurité de l'ONU)...

Puissance commerciale (la quatrième)...

Puissance culturelle. La langue française, appuyée sur la Suisse romande, la Wallonie, l'Afrique et le Québec, garde un statut particulier. Surtout elle est, en fait, la seule vraie culture européenne (l'anglaise étant victime de sa proximité linguistique avec l'américaine) à garder l'ambition et les moyens de l'universalité ; et ce, en partie, à cause de Paris. On critique beaucoup l'hypertrophie de la capitale ; mais l'Allemagne ou l'Italie manquent d'un Paris, l'Espagne aussi. Grâce à Paris, la culture française demeure une grande culture urbaine (relayée d'ailleurs par d'autres villes : Lyon, Toulouse, Lille, Liège, Bruxelles, Genève, Montréal, Dakar, Abidjan, Beyrouth).

La France dispose avec Paris de l'une des capitales du monde, seule ville européenne (avec Londres) rivale de New York ou de Tokyo. La culture française est précisément la seule à proposer un modèle différent du modèle anglo-saxon dominant ; un art de vivre, de lire, de manger. Un patrimoine architectural immense, une floraison de festivals, de paysages.

Par exemple, en face de l'écrasante prépondérance du cinéma américain, subsiste dans le monde (hormis quelques productions isolées [1]) le cinéma français.

1. Et du cinéma indien.

L'immense cinéma italien des années cinquante est mort. Et cet art de vivre se concilie avec la modernité la plus pointue : les TGV foncent non loin des cathédrales [1].

Seule en Europe, la France est capable d'être le maître d'œuvre des techniques industrielles qui définissent aujourd'hui l'influence d'une nation : le nucléaire. Première puissance nucléaire civile. Quatre-vingts pour cent de l'électricité française (le nucléaire civil n'est dangereux que chez les incompétents) ; c'est l'unique source d'énergie qui n'aggrave pas l'effet de serre.

L'aéronautique; le spatial; les travaux publics, premiers au monde, c'est une tradition : les Français ont percé les deux grands canaux transocéaniques – Suez et Panama –, aujourd'hui, le tunnel sous la Manche; l'agro-alimentaire (nous pouvons avec les Etats-Unis contrôler en partie cet atout stratégique que reste la production des céréales) ; l'armement. Evidemment, à cette maîtrise technique, nous associons naturellement nos partenaires européens; Ariane et Airbus en sont l'illustration. La France peut conduire les nations européennes à ne pas renoncer, comme elles y sont si facilement portées, aux attributs techniques de la puissance. Sans elle, il n'y aurait plus, à ce jour, d'aéronautique européenne; il ne serait pas né un spatial européen.

Le peuple français, à l'opposé de sa classe dirigeante, ne demande qu'à se perpétuer dans l'avenir. Il est tou-

1. Faut-il écrire « fonçaient » ? Aujourd'hui le programme du TGV est remis en cause : encore un « renoncement », dû à l'orthodoxie budgétaire.

jours, dans sa majorité, attaché à la nation. Plus civiques et moins difficiles à gouverner qu'on ne le dit, les Français aiment rouspéter mais, malgré leur désenchantement actuel pour la politique, participent beaucoup plus aux consultations électorales que les Américains. Ils gardent aussi une forte mémoire de leur Histoire (je parle du peuple). Une enquête de la revue *L'Histoire* montre que les deux repères historiques et nationaux principaux sont la Révolution et de Gaulle ; ce qui n'est pas mal.

Ce sont aussi d'excellents travailleurs, techniciens, ingénieurs qui ne demandent qu'à animer ou à créer des entreprises industrielles (et là, certainement, il faut desserrer le carcan administratif, c'est la part de vérité du libéralisme).

Même nos fonctionnaires, nos énarques, si souvent critiqués, sont de bons commis de l'Etat, ou plutôt le redeviendraient s'ils étaient de nouveau politiquement commandés.

Le corps enseignant, par exemple, est aujourd'hui prêt à reprendre sa tâche civique et républicaine. Beaucoup de nos professeurs étaient communistes. Depuis la chute du mur de Berlin, ils ne le sont plus. Or, que devient un ancien communiste enseignant quand il n'est plus vraiment marxiste ? Il devient un bon républicain. Il faudrait enfin qu'un ministre de l'Education nationale s'en aperçoive.

Les Français ne demandent qu'à croire en l'avenir, si les gouvernements leur en donnent de nouveau un à bâtir.

CHAPITRE 20

Venise comme métaphore

Tout le monde connaît Venise mais peu de personnes connaissent son histoire. Il était difficile d'arracher la ville elle-même à l'admiration des gens, bien qu'elle ne soit plus aujourd'hui qu'une coquille vide ayant perdu en même temps ses fonctions et sa population (laquelle préfère habiter sur le continent dans les horribles HLM de Mestre, mais auprès de ses bagnoles).

Les visiteurs des superbes cités de la côte dalmate (avant la guerre de Bosnie), Zadar (Zara), Trogir (Trau), Split (Spalato), Dubrovnik (Raguse), ou de Grèce, Parga, Monemvasia (Malvoisie), Nauplie, Héraclion (en Crète) ne savent pas qu'ils voient des villes vénitiennes; pas plus d'ailleurs que les admirateurs de Vérone, Vicence ou Padoue. Ceux qui s'étonnent devant les puissantes forteresses de Palmanova (dans le Frioul), Methoni (Modon, ce Gibraltar vénitien, au sud du Péloponnèse), Palamède (à Nauplie), ou de Famagouste (dans l'île de Chypre), ne savent pas qu'elles sont marquées du Lion de Saint-Marc, et que ces citadelles étonnantes nous parlent encore d'un empire disparu. Car, on l'oublie toujours, la république de Venise fut grande et puissante, impériale, crainte et respectée, jusqu'au début du XVIIIe siècle. Pourquoi alors cette décadence, au siècle des Lumières, ce mythe d'une ville alanguie, pleine d'intrigues ourdies dans une ambiance de fête, mais aussi de décomposition évoqués par Thomas Mann dans *La Mort à Venise*? Pourquoi cette chute brutale, en 1797, dans les bras de Bonaparte, de celle que Chateaubriand appelait « à la fois Corinthe, Athènes et Carthage » ?

Le dernier siècle de la Sérénissime République me semble une métaphore de l'état actuel de la France.

Beaucoup de choses, en apparence, séparent notre nation compacte de cette cité « thalassocratique [1] ». Cependant les enseignements qu'on peut tirer de la chute de Venise sont nombreux si l'on veut éviter la chute de la France. D'abord, à cette époque que l'on dit pour elle décadente, les forces matérielles ne manquaient nullement à la République des lagunes. Comme dans la France actuelle que nous venons d'évoquer, les forces vives, contrairement aux idées reçues, y étaient nombreuses encore. Citons ici un contemporain de la chute de Venise, le Chateaubriand des *Mémoires d'outre-tombe* :

« Lorsqu'en 1797, Venise eut laissé envahir son territoire continental, il lui restait pour la défense de son

1. Une « thalassocratie » est une puissance maritime qui s'appuie sur un grand nombre de bases dispersées.

empire deux cent cinq navires de guerre, huit cents bouches à feu. Au milieu de la mer, elle était imprenable. Les ombres des Barberigo, des Pesaro, des Zeno, des Morosini, des Loredan auraient combattu aux fenêtres de leurs palais. Elle avait de l'argent, un crédit supérieur à son trésor. Le Directoire, incapable de se saisir d'îlots gardés par une poignée de soldats anglais sur les côtes de Normandie, n'aurait pu s'emparer de Venise, couverte de ses vaisseaux. »

Malgré ses forces, c'est, selon Chateaubriand, la démission de ses dirigeants, trois générations avant encore si fermes, qui a tué Venise. Napoléon la craignit ; la prise de Venise, dans le *Mémorial de Sainte-Hélène*, occupe vingt fois plus de place que la victoire d'Austerlitz. Il était tout étonné encore de s'en être emparé si facilement.

« Eh bien ! Quelques lignes méprisantes de la main de Bonaparte, commente Chateaubriand, suffirent pour renverser la cité antique où dominaient auparavant ces magistratures terribles qui, selon Montesquieu, ramenaient violemment l'Etat à la liberté. Ces magistrats, jadis si fermes, obtempérèrent en tremblant aux injonctions d'un billet écrit sur un tambour. Les soldats dalmates furent congédiés ; la flotte consignée à Corfou ; et les Français embarquèrent paisiblement en gondole, l'arme au bras, et sans brûler une amorce, prirent possession de la cité vierge de l'ancien monde. »

Il y a beaucoup de points communs entre la France actuelle et la Venise renonçante du siècle des Lumières.

Même concentration d'artistes et d'intellectuels ;

même civilisation sophistiquée que l'on vient visiter du monde entier (comme la Venise du XVIIIe, la France est de nos jours la première destination touristique) ; même gloire d'un Etat chargé d'Histoire ; Etat qui fut grand, qui passe pour sage et qui n'est plus que faible ; enfin, et surtout, même démission politique de la classe dirigeante. Ce patriciat de Venise, image du courage civique et militaire jusqu'à la fin du règne de Louis XIV, du renoncement ensuite, se retrouve dans cette classe dirigeante française qui, sans le savoir, a tout perdu en trahissant l'Etat républicain.

Malgré les moyens, toujours redoutables, de la République française, il semble que l'obscur traité de Maastricht ait frappé nos patriciens d'aboulie.

« Les petites décisions sans justification claire » de la Commission de Bruxelles, dont parle Paul Thibaud, ont remplacé pour désarmer nos dirigeants les « injonctions d'un billet écrit (par Bonaparte) sur un tambour » dont parle le vicomte.

Venise est morte de la volonté suicidaire de ses patriciens, après mille ans de gloire. L'état d'esprit de nos dirigeants politiques est-il tellement différent ?

« Les contorsions du grand fantôme révolutionnaire français, cet étrange masque arrivé au bord de ses plages, l'esprit du siècle » dénouèrent le lien social, jadis si fort, des Vénitiens.

L'esprit du siècle européiste et mondialiste qui encombre la tête de la plupart de nos dirigeants (et de leurs enfants) risque de produire le même résultat si l'on n'y met bon ordre.

Le choix de 2001

En 1797, à cause de la démission de ses élites, Venise ne fut plus « avec sa chevelure d'or, son front de marbre » qu'une reine déchue « languissante au pied des Alpes du Tyrol ».

En 1997, deux siècles plus tard exactement, la France « européisée » avec sa chevelure de cathédrales, son front de Grand Louvre, deviendra-t-elle une reine déchue, languissante au pied de la Bundesbank ?

CHAPITRE 21

L'hypothèse pessimiste

Si la République abdiquait vraiment sa souveraineté, la France existerait longtemps encore. Mais ce ne serait plus qu'une espèce d'entité géographique, diminuée probablement par la sécession de quelques provinces.

La Corse définitivement abandonnée à ses démons de *vendetta*; le Pays basque et la Catalogne français tentés de rejoindre les « nations sœurs » de la péninsule Ibérique; peut-être même la Bretagne reprise par son rêve gaélique (il est assez piquant de noter qu'on veuille parler le breton à Rennes et Nantes où l'on ne parla jamais que des langues latines puis le français gallo; la Bretagne n'est qu'à moitié bretonnante et ne se définit pas par la langue); l'Alsace aspirée par la Rhénanie allemande.

En 1996, il se trouva en Savoie, province de langue et de cœur français depuis François de Sales, et qui vota massivement son rattachement à la France en 1860, des gens pour réclamer l'« indépendance ». Le fait serait sans importance si la presse nationale n'avait jugé bon de donner une vaste audience à ces farfelus ; comportement qui renseigne davantage sur le suivisme-mode de certains journalistes que sur les sentiments des citoyens.

Cette France diminuée serait à l'intérieur d'elle-même menacée par les colonies communautaires de religieux intégristes ou des meneurs ethniques ; un peu à l'image de ce qui se passe aujourd'hui aux Etats-Unis. Si la régression économique continuait, les classes moyennes s'enfermeraient dans des quartiers *middle class* protégés par des vigiles ou des polices « municipales » aux ordres.

Bien sûr, ceci est un cauchemar, exagéré mais plausible...

Longtemps encore, en beaucoup d'endroits, subsisteraient de l'art de vivre, de la culture, des festivals. Encore que, nous l'avons dit, la culture et même la gastronomie ne survivent jamais longtemps après l'abaissement de l'Etat qui les fonde.

Sans « avance sur recettes », je ne donne pas cinq ans au cinéma français pour disparaître.

Dans cette hypothèse catastrophe, il y aurait bien toujours un Parlement à Paris quoique la législation réelle se fasse de plus en plus, non pas au « Parlement » européen, mais à la Commission de Bruxelles ; il y aurait encore un gouvernement, mais progressivement dépossédé de la politique réelle. Nous deviendrions une espèce de grand Québec.

Encore cette comparaison est-elle injurieuse pour le Québec dont, au contraire des nôtres, le Parlement et le gouvernement ont l'ambition de gouverner de plus en plus (contre Ottawa).

Le Québec garde aussi l'espoir d'un référendum à venir établissant sa souveraineté. A l'occasion du dernier référendum québécois, perdu de peu par les souverainistes, un homme politique français de premier plan me disait avant qu'on en connaisse les résultats : « J'espère que le PQ[1] va gagner. Comme cela il resterait dans le monde au moins une nation souveraine de langue française ! »

Dans l'hypothèse pessimiste, la France serait un grand Québec auquel on refuserait l'espoir d'un référendum libérateur, au prétexte que le peuple a déjà voté en septembre 1992. Au Québec aussi, il a déjà voté deux fois, mais le PQ envisage de lui demander son avis une troisième fois. Il n'y a dans ce projet rien qui soit contraire à la démocratie. On peut toujours en appeler du peuple mal informé, au peuple mieux informé. Aucune loi n'est irrévocable. La Constitution elle-même peut être amendée (par référendum ou par congrès).

Ce qu'il y a d'étonnant, chez les européistes, c'est précisément leur volonté d'*irrévocabilité*. Voté une fois, le traité de Maastricht devient une prison dont il est impossible de sortir ; *finita la commedia*, tout est dit ; l'Histoire est finie. Il s'agit là d'une croyance très proche de la théorie de l'Américain Francis Fukuyama sur la fin de l'Histoire ; en fait, une négation de la démocratie, le rêve oligarchique de retirer au peuple son libre choix dans l'avenir. Heureusement l'Histoire

---

1. Parti québécois.

n'est jamais irrévocable. Les traités sont renégociés ; de nouvelles lois remplacent les anciennes ; les conditions changent. Les européistes veulent faire de l'Europe un voyage dont il soit impossible de revenir.

Ce tableau catastrophe peut sembler exagéré, incroyable. Nous nous sommes tellement habitués à la France que même les moins patriotes d'entre nous n'imaginent pas sa disparition.

« La France, c'est l'air que nous respirons, l'atmosphère, les paysages... », fait dire Jean-Paul Sartre à l'un de ses personnages [1]. Les gens à la mode se moquent de la nation et méprisent les « franchouillards » sans songer une seule seconde que l'Histoire pourrait les prendre au sérieux, et que, d'être si peu désirée, la France pourrait mourir.

Ils n'ont jamais réfléchi à la fragilité du lien social qui fait qu'une nation existe ; ou plutôt ils croient en un lien social planétaire, confondant ainsi l'éminente et égale dignité de tous les hommes sur la terre, affirmée par la Déclaration des droits de 1789, avec la citoyenneté qui, elle, ne peut être que territorialement limitée, même quand elle se veut « ouverte ».

La France n'est pourtant pas « naturelle ». Elle est, depuis mille ans, une victoire toujours renouvelée de la volonté politique sur le renoncement. Ils veulent l'Europe avec raison, mais les européistes ne se rendent pas compte qu'en tuant les nations ils rendraient l'Europe impossible ou barbare.

---

1. *Les Chemins de la liberté*, Gallimard, 1945.

CHAPITRE 22

Une autre façon de faire l'Europe

Une autre façon de construire l'Europe est pourtant possible. Malgré les arrière-pensées de Jean Monnet, c'était celle du traité de Rome, celle de De Gaulle : l'Europe des nations, l'Europe des grandes civilisations universalistes. Depuis l'époque où enfant je m'éveillais à la conscience de l'âge de raison dans les ténèbres de l'exode, j'ai la France dans la peau.

Pourtant, je sens que je suis aussi chez moi, ou presque, à Rome, à Venise ou à Sienne ; à Séville comme à Tolède ; de Londres à Edimbourg et Amsterdam, et même d'Athènes à Copenhague ; de Munich à Varsovie et à Saint-Pétersbourg (ce rêve d'Europe au fond de la Baltique).

J'apprécie d'entendre parler castillan à Ségovie, toscan à Florence et polonais à Cracovie.

Même dans le cadre du confus et illisible traité de Maastricht, le Royaume-Uni nous prouve qu'il est possible de garder son indépendance. Pour construire l'Europe des nations, la vraie, celle qui correspond au réel (et qui n'est pas seulement comme l'autre un rêve de technocrates aux motivations freudiennes), il faut et il suffit que le gouvernement français se reprenne ; qu'il décrète un moratoire et réfléchisse à l'avenir avec nos partenaires. Nous en sommes le centre, l'Europe ne se fera pas sans nous ou contre nous.

L'Europe des nations pourrait, elle, accueillir dans l'Union la Pologne, la Hongrie ou la Bohême alors que l'Europe de Maastricht à vingt serait pure dérision.

Pour reprendre la souveraineté française, clef de l'Europe des nations, il faut d'urgence arrêter l'« hémorragie de citoyenneté ». Cette hémorragie que cause à notre droit l'invasion des « directives de Bruxelles », lesquelles en France, avec la complicité de notre Conseil d'Etat, subvertissent la République.

Décidons que les directives de la Commission ne pourront s'appliquer que votées par les parlements nationaux, si elles sont d'ordre législatif ; ou approuvées explicitement par les gouvernements, si elles sont d'ordre réglementaire. Ainsi nous redonnerons aux peuples le sentiment de redevenir maîtres de leurs démocraties, dont aujourd'hui, lentement mais sûrement, Maastricht les dépossède. Ils retrouveraient des représentations nationales réellement législatives et des gouvernements à eux pour gouverner.

Nous sortirions ainsi de ce processus d'hémorragie technocratique de la citoyenneté, au profit d'une oligarchie, irresponsable devant les électeurs.

La Commission de Bruxelles ne serait plus alors

qu'une administration purement technique au service des Etats membres, ce qu'elle aurait dû ne jamais cesser d'être.

En revanche, le Conseil européen, formé des chefs d'Etat ou de gouvernement (et les réunions de ministres, selon les problèmes), retrouverait son rôle décisif :

Faire des avions ou des fusées ensemble, des ouvrages d'art et des TGV ; fabriquer des armes qui nous affranchissent de la domination américaine dans ce domaine ; mener des politiques communes dans certains secteurs stratégiques, l'agriculture, le cinéma ; en un mot, faire du bi- ou du multilatéral, sans évacuer les problèmes monétaires (mais en renonçant à donner le pouvoir à une banque centrale déliée de toute sujétion envers les Etats), construire une Europe à géométrie variable selon les questions. Dans cette Europe, les grandes nations historiques à responsabilité mondiale que sont la France, le Royaume-Uni, l'Espagne et l'Allemagne retrouveraient naturellement, sans qu'il soit besoin de l'écrire dans un traité, une responsabilité particulière.

Cette Europe-là, s'appuyant sur la grandeur et la force de ses composantes (au lieu de les détruire), alors, oui, elle redeviendrait grande.

Il en est des organisations comme des chefs.

Les petits chefs minables se reconnaissent au fait qu'ils ne supportent autour d'eux que des collaborateurs nuls ou médiocres qui ne leur font pas d'ombre. Les grands chefs savent que la personnalité et le renom de leur entourage rejaillissent sur eux et les grandissent eux-mêmes. L'Europe de Maastricht est une Europe de petits chefs : régions, ethnies, communautés, tribus ; une institution impotente promise à l'anarchie, donc à la domination impériale extérieure (aujourd'hui les Etats-Unis d'Amérique).

L'Europe des nations retrouverait la grandeur qu'elle eut au XVIIIe siècle. Elle redeviendrait l'Europe des Lumières.

CHAPITRE 23

L'hypothèse optimiste

Les dirigeants doivent comprendre qu'ils ne restaureront le civisme et ne lutteront contre le Front national qu'en revenant à la nation. Aujourd'hui, il n'existe plus en France, dans les partis démocratiques, de réelle alternative politique ; par malheur l'alternative, c'est la régression lepéniste. Si le PS succédait à la majorité actuelle, rien ne changerait vraiment. De même que la majorité actuelle a continué pour l'essentiel le mitterrandisme, qui lui-même (à l'exception de la période 1981 à 1983) continuait le giscardisme.

La vraie rupture se situe à l'élection du président Giscard d'Estaing en 1974 qui déclara, sans modestie mais avec raison, qu'il « ouvrait une ère nouvelle dans l'histoire de la République française ».

Heureusement, l'avenir est toujours imprévisible et les experts se trompent le plus souvent. Des événements, inimaginables aujourd'hui, peuvent contraindre le pouvoir à mener une autre politique.

Cette politique, on trouverait, à gauche comme à droite, des hommes pour la mener. Il serait encore possible, comme le dit Jean-Pierre Chevènement, et comme le pensent aussi Charles Pasqua et Philippe Séguin, de « refonder la République », et, du même coup, de remettre l'Europe sur le bon chemin.

Le président Chirac, poussé par l'événement, pourrait, en cette circonstance, avec profit, méditer sur le comportement de François Mitterrand en 1984. Souvenez-vous, c'était encore le temps du « grand service public de l'Education nationale » ; mais un million de personnes étaient descendues dans la rue pour soutenir un enseignement privé qu'elles croyaient menacé (non tellement d'ailleurs par catholicisme militant, mais parce que l'enseignement privé est ressenti comme une carte de réserve, une seconde chance, à laquelle les parents, catholiques ou non, ne veulent pas renoncer).

François Mitterrand parut à la télévision et dit en substance : J'ai honnêtement essayé d'instaurer le grand service public laïc de l'Education, prévu par mon programme. Mais les gens n'en veulent pas, ça ne marchera pas. Je remets ce projet à plus tard. Je change de Premier ministre. – Quatre ans plus tard, François Mitterrand était réélu.

Jacques Chirac pourrait dire la même chose :

J'ai loyalement essayé d'appliquer le traité de Maastricht, les critères de convergence, la monnaie unique ; mais ça ne marche pas. Le peuple n'en veut pas, alors j'en tire les conséquences... Après tout, ce serait plus facile à l'auteur de l'Appel de Cochin, hymne à l'indépendance nationale, que pour le chef de l'Union de la gauche.

Tout alors redeviendrait possible, y compris la confiance des Français, méfiants aujourd'hui parce qu'on ne leur parle plus de la France.

En cet automne 1996, j'ai regardé à la télévision les retransmissions des Journées parlementaires UDF, PS, RPR, écouté les discours. Derrière les tribunes, pas de drapeaux tricolores ; dans les homélies, l'occurrence du mot *France* est très rare ; les leaders préférant parler de « ce pays », de « nos concitoyens ».

Il faut remettre la France debout (alors Le Pen se réduirait à ses trois pour cent traditionnels) ; debout en Europe et hors d'Europe.

Si la France a d'immenses intérêts en Europe (et à l'Europe), elle en garde aussi en Afrique noire, dans le monde arabe. Elle n'est pas seulement européenne.

Elle n'est plus au rang des grands impérialismes carnivores qui se disputaient la planète. Mais si elle retisse ses liens civiques, si elle retrouve son école, si elle regagne les chemins de la croissance, elle peut avec succès être une parole de volonté, en Europe ; de culture, face aux Etats-Unis ; de développement pour le Tiers-Monde.

Un « boulevard » s'ouvrirait devant elle.

Elle pourrait redevenir l'« Athènes des nations » qu'elle fut aux siècles classiques. L'Athènes de Périclès. Oublions les tares de cette glorieuse cité (enfermement de la femme, persistance de l'esclavage), et retenons-en le meilleur : une cité à la mesure de l'homme.

Ne croirait-on pas que le discours du grand Périclès que l'on peut lire chez Thucydide (« Discours aux morts de la cité ») a été prononcé pour nous?

« Notre Constitution donne l'exemple à suivre. L'Etat chez nous est administré dans l'intérêt du plus grand nombre et non d'une minorité. De ce fait, notre régime a pris le nom de démocratie. Pour les affaires privées, l'égalité est assurée à tous par les lois, surtout celles qui assurent la défense des faibles et attirent sur qui les viole un mépris universel. Nul n'est gêné par sa pauvreté ou l'obscurité de sa condition, s'il est capable de rendre des services à la cité...

« Nous savons concilier le goût des études avec l'énergie, et le goût du beau avec la simplicité... Notre cité, dans son ensemble, est l'école de la Grèce et du monde [1]. »

La leçon de Périclès reste valable pour nous. Une modernité à la mesure du citoyen qui, tout en découvrant les horizons infinis de la science, lui laisse ou lui redonne des raisons de vivre et de croire au bien public. Un patriotisme ouvert et décomplexé.

Si elle se réinventait un avenir, la France, notre cité, pourrait redevenir l'école de l'Europe et du monde. En particulier parce qu'elle entretient avec la modernité des rapports plus humains que les Anglo-Saxons, sachant concilier la recherche et le plaisir de vivre; un fort patriotisme avec le métissage; une longue histoire

1. Ce texte, tiré de la *Guerre du Péloponnèse* de Thucydide, est disponible en édition de poche.

pleine de drames et de gloires, avec un avenir qui ne dépend que de sa foi en elle-même.

Sinon, il ne nous resterait qu'à répéter les mots mélancoliques et magnifiques du grand Athénien :

« Même si toutes ces choses sont vouées au déclin, puissiez-vous dire de nous, siècles futurs, que nous avons construit la cité la plus célèbre et la plus heureuse. »

Janvier 1997.

TABLE

quatrième partie

LES FORCES DE DISLOCATION INTERNES 91

cinquième partie

LA DÉMISSION DES DIRIGEANTS 149

sixième partie

LE CHOIX DE 2001 169

Cet ouvrage a été réalisé par la
SOCIÉTÉ NOUVELLE FIRMIN-DIDOT
Mesnil-sur-l'Estrée
pour le compte des Éditions Grasset
en février 1997

Imprimé en France
Première édition, dépôt légal : janvier 1997
Nouveau tirage, dépôt légal : février 1997
N° d'édition : 10299 - N° d'impression : 37829
ISBN : 2-246-54181-6